DATE DUE

RETURNED NOV 1 3 1988			
JUN 2 1989			
2/3/0'14			

DEMCO NO. 38-298

His Eminence

MAR ATHANASIUS Y. SAMUEL

Syrian Archbishop-Metropolitan
Jerusalem and Hashemite Jordan

THE DEAD SEA SCROLLS

OF

ST. MARK'S MONASTERY

VOLUME I

The Isaiah Manuscript and the
Habakkuk Commentary

Edited for the Trustees

BY

MILLAR BURROWS

with the assistance of

JOHN C. TREVER AND WILLIAM H. BROWNLEE

Published by

THE AMERICAN SCHOOLS OF ORIENTAL RESEARCH

NEW HAVEN

1950

PRINTED IN THE UNITED STATES OF AMERICA
PRESS OF THE JEWISH PUBLICATION SOCIETY
PHILADELPHIA, PENNA.

This volume is dedicated

to

MAR ATHANASIUS YESHUE SAMUEL

in appreciation of the privilege
of making these texts available
to the world of scholarship

CONTENTS

FOREWORD BY ARCHBISHOP SAMUEL

I am happy to have this opportunity to express my sincere appreciation to the American Schools of Oriental Research for the patient, skillful, and energetic assistance they have given me in the study and publication of the Dead Sea Scrolls.

When I first heard about the scrolls in the spring of 1947, they were thought to be Syriac documents, and because of this I was indeed very eager to secure them. It was my intention to obtain the scrolls because I had already made a study of old and new Bibles, Testaments, and other original documents in the Syriac language. It was not until July, 1947, that I succeeded in purchasing the four scrolls and fragments from the bedouins. Noting immediately that the documents were not Syriac but Hebrew, I sought the aid of numerous friends who I hoped would be able to give me information about their contents, possible date of origin, and value. The fact that they were found in a cave (which Father Yusef visited in August, 1947, to check the story of the bedouins), in the wilderness by the Dead Sea, led me to believe that they must be very old, perhaps from early Christian times; but for the next six months I was repeatedly discouraged from such a view by those who examined them. Thereafter I submitted these scrolls to Doctors Trever, Brownlee, and Burrows, for examination and study in Jerusalem.

I consider it very fortunate that the name of the American Schools of Oriental Research was suggested to me in February, 1948, by the Reverend Butros Sowmy, who met a tragic end during the battle for the Old City of Jerusalem on May 16, 1948. The enthusiastic response and energetic assistance offered immediately by Dr. John C. Trever, and later by Dr. William H. Brownlee and Professor Millar Burrows, Director of the Jerusalem School, gave me assurance of the significance of the documents. I continue to be deeply indebted to these scholars and the American Schools for their guidance and skill in pursuing the intensive studies necessary to reveal the importance of this discovery, and for the investment of funds that has been necessary to bring the scrolls to publication. I was happy to grant the American Schools of Oriental Research the full rights to photograph and publish these documents in order that all scholars might have the opportunity to study them, and that their full value for our knowledge of the Bible might be gleaned.

ATHANASIUS YESHUE SAMUEL
Syrian Archbishop-Metropolitan of Jerusalem
and Hashemite Jordan

I — GENERAL INTRODUCTION

1. *The discovery*

As is now well known, the texts published in this volume are part of a collection of manuscripts discovered in Palestine in 1947. The full story of the discovery and the transactions which followed it cannot even yet be told: details have been gradually coming to light, but some points are still and may always remain obscure. What is now clear may be reviewed briefly.[1]

In a cave on the eastern slope of the Judaean plateau, just to the west of the Dead Sea near its northern end, some bedouins of the Ta'amira tribe, apparently early in the spring of 1947, stumbled upon a cave, high in the cliff and hardly visible from below. Within, among the remains of pottery jars and at least two whole ones, lay several leather scrolls wrapped in cloth. At Bethlehem, their market town, the bedouins showed their find to a Muslim sheikh, who, supposing the writing to be Syriac, referred them to a Christian merchant. He in turn informed Mar Athanasius Yeshue Samuel, the Syrian Orthodox Metropolitan at St. Mark's Monastery in Jerusalem, who, after a series of delays and complications, purchased some of them. Others were sold a few months later to Professor E. L. Sukenik of the Hebrew University at Jerusalem. Neither buyer, however, was aware of the other's acquisition when he made his own purchase, and meanwhile the disturbed and divided condition of the country was making communication more and more difficult.

The same unhappy circumstances prevented a prompt and adequate archaeological investigation of the cave where the manuscripts had been found. Not until February, 1948, when the manuscripts at the Monastery of St. Mark were brought to the American School of Oriental Research at Jerusalem for identification, did anyone at the School even know of their existence. Even then, until we were informed to the contrary, it was supposed that they had been reposing for years in the library of the monastery. Meanwhile, during the summer of 1947, members of the Syrian Orthodox community had visited the cave and reported seeing in it one unbroken jar, pieces of others, fragments of the manuscripts which had been deposited in them, and scraps of the cloth in which the manuscripts had been wrapped. In March, 1948, the American School of Oriental Research made arrangements for a visit to the cave, but because of the existing circumstances the trip had to be abandoned. In November of that year there was unfortunately some unauthorized and incompetent digging by irresponsible individuals. It was not until February, 1949,

---

[1] For fuller accounts see the BA xi.3 (September, 1948), pp. 46–57; xii.2 (May, 1949), pp. 26–31.

that a properly authorized and scientifically conducted excavation of the cave was carried out under the expert direction of Mr. Gerald Lankester Harding of the Department of Antiquities of the Hashemite Kingdom of Jordan and Father René de Vaux of the Dominican École Biblique at Jerusalem.

The results of this expedition, as yet only partially published,[1] indicate that the jars in which the manuscripts were deposited were of late Hellenistic (pre-Herodian) manufacture. Many more manuscript fragments were found, belonging for the most part if not entirely to other works than the scrolls and fragments sold by the bedouins in 1947.

It is abundantly evident that the original deposit of manuscripts in the cave, whatever may have been its nature and purpose, was extraordinarily comprehensive. The internal evidence of the scrolls themselves shows that they were the work of the same Jewish sect of the New Covenant which, perhaps at a later point in its history, produced the "Zadokite" Damascus Document of which a late, incomplete text was discovered and published by Solomon Schechter at about the beginning of this century.[2]

Of the scrolls removed from the cave and sold by the bedouins, six were purchased by Prof. E. L. Sukenik of the Hebrew University, together with a bundle of fragments, and five by the Syrian Orthodox Metropolitan, who also acquired a number of fragments. One of Prof. Sukenik's scrolls, as announced and partially published by him,[3] is a part of a previously unknown composition which he has designated "The War of the Sons of Light with the Sons of Darkness." Four other manuscripts contain thanksgiving psalms. The sixth, according to recent reports, contains the last third of the book of Isaiah in a form closer to the Masoretic text than the Isaiah scroll published in this volume. The five scrolls bought by Mar Athanasius Yeshue Samuel included, in addition to the complete manuscript of Isaiah and the Commentary on Habakkuk which are published in this volume, two scrolls which proved to belong together, comprising a manual of discipline of the sect or community to which the whole collection belonged, and another, in much poorer condition, which still remains unopened but, as shown by a column at one end which has been disengaged, contains at least part of an Aramaic apocalyptic work associated with the name of Lamech.[4] It is our intention to publish these two works in the near future as a sequel to the present volume.

---

[1] See RB lvi. 2 (April, 1949), pp. 234–7; BASOR No. 114 (April, 1949), pp. 6–9; BA xii. 3 (September, 1949), pp. 54–6; RB lvi, 4 (October, 1949), pp. 586–609.

[2] Schechter, S., *Documents of Jewish Sectaries*, vol. I, *Fragments of a Zadokite Work* (Cambridge, 1910); see the excellent edition of Leonhard Rost, *Die Damaskusschrift* (Berlin, 1933, in Lietzmann's *Kleine Texte*), and the English translation of R. H. Charles in his *Apocrypha and Pseudepigrapha*(Oxford, 1939), vol. II. pp. 785–834.

[3] E. L. Sukenik, מגילות גנוזות (Jerusalem, 1948).

[4] See BASOR No. 115, pp. 8–10.

2. *Nomenclature and abbreviations*

The various scrolls and fragments found in the cave during the past three years have been tentatively designated in several different ways. For the whole deposit it is now felt by most of us who are involved in their publication that the most satisfactory designation is "The Dead Sea Scrolls." This is therefore adopted here and represented by the abbreviation DS. A third letter added to these two serves to indicate each particular manuscript, as follows:

DSD   The Sectarian Manual of Discipline
DSH   The Habakkuk Commentary
DSIa   The St. Mark's Isaiah manuscript
DSIb   The Hebrew University Isaiah manuscript
DSL   The Aramaic "Lamech Apocalypse"
DST   The Thanksgiving Psalms
DSW   The War of the Sons of Light with the Sons of Darkness

It has been suggested that the fragments bought from the bedouins and those recovered in the excavation may be included in this scheme by using for them the abbreviation DSf with an appended abbreviation of the book from which each comes; e.g. DSfGen (Dead Sea fragment of Genesis). If the fragment cannot be assigned to any known composition, a number may be appended to the symbol DSf. For the purposes of the present volume this extension of the scheme is not required, but the suggestion may be noted for possible use in future discussions of the material.

3. *Explanation of Procedure*

The plates for this volume, which are as nearly the exact size of the original as photographic processes permit, reproduce unretouched photographs taken at Jerusalem in February and March, 1948, by Dr. John C. Trever, with the assistance of Dr. William H. Brownlee. It was most fortunate that Dr. Trever, who was serving as Acting Director *pro tem.* when the manuscripts were brought to the school for examination, was an experienced photographer and (except for the difficulty of securing suitable film in Jerusalem at that time) well equipped to do this work competently. To his energy, care, and devotion, and to the confidence in him and in the American School of Oriental Research evinced by His Grace the Metropolitan in granting permission to photograph the manuscripts, we owe the fact that we are now able to present this material.

The printed Hebrew text which will be found facing each Plate in this volume is intended only to facilitate the use of the Plate, enabling the reader to find quickly any desired word or passage and to ascertain readily the form in which it appears in the manuscript. To that end the verse numbers have been inserted in the text, and the numbers of the chapters are given in the margin in small Roman numerals. Every fifth line of each Plate is indicated in the margin of the printed copy by a small Arabic numeral. It has not been considered necessary to indicate matters of palaeography, for which the reader will naturally consult the Plates themselves. The sometimes rather eccentric combination and separation of words and the variations in spacing between words, sentences, and paragraphs are not reproduced in the printed text: here too it is assumed that the reader will turn to the Plate. For the same reason the marginal marks in the manuscripts and the correctors' marks in some passages have been omitted from the printed transcription. Corrections in the manuscript which are written above the line or in the margin are so represented in the printed copy; where a letter in the text itself, however, has been changed or rewritten by a corrector or by the scribe himself, this fact is not indicated.[1]

Lacunae in the manuscripts are indicated by brackets. Where a letter is visible but not sufficiently clear to be unmistakably identified, it is represented by a dot. Sometimes the dot is used even where a letter is practically certain. We have tried to be conservative in this matter, but cannot claim to have been entirely consistent. If a letter given in the printed text is not clearly distinguishable in the Plate, it is sufficiently clear in the manuscript to be identified. At many points, however, there is abundant room for a difference of opinion as to the reading. Here again we have endeavored to err, if err we must, on the side of conservatism, sometimes giving the scribe the benefit of a doubt. For comparison and for filling in lacunae the reader will have at hand, it is assumed, the MT. Even in the Habakkuk Commentary, however, where such a guide is available only in the quotations of the text of Habakkuk (set in heavier type), no reconstructions of missing portions are here offered, even though they may seem quite obvious. Our aim has been to supply the objective data for the study of the texts, and to leave matters of conjecture to the reader.

The one point on which a decision not based on the manuscripts themselves has been unavoidable is the distinction between *waw* and *yodh*. While the Isaiah manuscript has two quite distinct forms, they are in general used quite interchangeably for both letters.[2] In the Habakkuk scroll there is no perceptible distinction at all in the writing of these two consonants. Consequently in choosing *waw* or *yodh* in the text of Isaiah and Habakkuk we have merely followed the MT, except in cases where the *matres lectionis* clearly indicate readings differing from the MT. In such

---

[1] For an interesting example see Is. 34:6.

[2] There are apparently some exceptions to the rule. In Is. 28:10 and 13, for example, the difference between the two letters seems to be observed consistently.

cases, as in the expository portions of the Habakkuk scroll, the choice of *waw* or *yodh* necessarily presupposes at least a tentative reading of the word in question. The reader should remember throughout that either of these consonants anywhere in the printed transcription may be changed to the other if a more probable reading can thereby be secured.

Since the Isaiah scroll is first presented, the number of each Plate in the text of Isaiah is the number of the column of the manuscript which it reproduces. In the Habakkuk Commentary (Plates LV–LXI) there are in most instances two columns to each Plate; the number of each column is therefore indicated by a small Roman numeral at the head of it.

II — THE ISAIAH SCROLL

The Isaiah scroll, with its fifty-four columns of beautifully preserved Hebrew writing, contains the complete text of the biblical book with the exception of a few small lacunae.[1] In all but one case the missing text can be restored from the MT without any question.[2] The text of Isaiah in this manuscript, with significant differences in spelling and grammar[3] and many variant readings of more or less interest and importance,[4] is substantially that presented considerably later in the MT.

When first seen by the writer of this chapter, on February 19, 1948, the scroll was rolled with the last columns on the outside, cols. LIII and LIV having separated from the rest when the thread with which the sheets were sewn together had disintegrated. Archbishop Samuel says that the scroll was rolled with the first column on the outside when it was brought to him, and he rolled it the other way to protect the broken beginning from further damage. Fragments of the cover, he says, were still attached to the first column at that time. The needle holes on col. I clearly indicate the existence of some kind of cover.

Col. LIV was badly worn in ancient times, obviously by handling. Apparently there was no end cover to protect the last column as there was at the beginning. That the scroll was not rolled on sticks in ancient times is clearly indicated also by col. LIV. The ends of lines 1–4, 6, 7, 9, and 10 had become so obliterated with use

---

[1] There are only ten lacunae, other than about a dozen very small holes which in each case affect a few letters that can be easily restored. With the exception of one on the right side of col. XXXVIII which affects the first few letters of lines 16–24, the breaks are found among the bottom lines of cols. I, II, IV–IX, XII, and LIII.

[2] Col. II, line 28, causes some confusion, since the text that is found in the MS differs from the MT. There is room for about six or seven letters, and the letters that follow are apparently the last of a word. In the case of the break at the bottom of col. XII, if the text is restored on the bottom line according to the MT a considerable space remains, but there may have been a gap in the skin when it was first inscribed at that point.

[3] See JBL lxviii (1949), pp. 195–211.

[4] See BASOR No. 111, pp. 16–24, and No. 113, pp. 24–32.

that the writing was restored by re-inking the illegible letters. The worn parchment tended to absorb the ink, making it spread. The parchment at this point is very limp and fragile. Beginning with col. LII and unrolling toward the first column, the scroll, when the writer first examined it, was intact as far as col. IX, though from col. XIV to IX it was more fragile. Cols. VIII to I were in a fragmentary state and demanded very careful treatment in order to be photographed.

The scroll was originally prepared by sewing together with linen thread[1] seventeen sheets of somewhat coarse parchment, or carefully prepared skins approaching the refinement of parchment,[2] varying a great deal in length[3] and averaging .262 m. (10 5/16 in.) in width, making a scroll 7.34 m. (24 ft. 5/16 in.) long in its present state of preservation. With a 15–20 cm. (6–8 inch) cover at the beginning, the original scroll was probably more than 7.5 m. (24 1/2 ft.) long. Each sheet was carefully ruled on the hair side with a semi-sharp instrument which tended to make a slight crease in the material, frequently discernible on the back of the scroll. On the inscribed side the lines have faded at many points.

The manuscript apparently fared somewhat badly during its lifetime of use before it was carefully wrapped in linen cloth and placed in the jar in which it was preserved through the succeeding centuries. Two bad tears of the parchment occurred in ancient times and were carefully repaired. One tear from the bottom of col. XII to within an inch of the top was sewed together with considerable skill, leaving little difficulty in reading the text. A tear from the top of the scroll diagonally part of the way across col. XVIII was repaired by covering the back of that part of the scroll with a thin piece of dark leather 3 1/2 by 1/2 to 1 in. Five other minor tears (on cols. IV, VII, XV, XVI, and XVII) were repaired with fine stitches of thread. In cols. XV and XXXIII small holes appear, but these were evidently already present in the original skins. The first dozen or so columns apparently received more use, for they show evidence of greater wear.

The first four and a half columns had a thin strip of somewhat darker leather about 1 1/2 inches wide placed along the top back edge to keep it from breaking away. A short strip of deep brown leather was put on the back edge of col. XXV also (2.5 x 3.8 cm.). Evidences of reinforcement with thin, light-colored pieces of leather appear along the tops of cols. XVII, XVIII, and XIX. The bottom edge had a similar treatment in several places where needed (cols. I, III, VII, and

---

[1] Cols. XLIII and XLIV were not only sewn, but were also apparently glued together with some pitch-like substance.

[2] Among the scrolls there is a considerable difference in the degree of refinement and quality of the skins, making it somewhat difficult to classify the material. The Isaiah scroll has the most carefully prepared skins of the documents owned by the Syrian Archbishop.

[3] The smallest sheets is .252 m. (nearly 10 in.) long and contains two columns of writing (cols. XXVI–XXVII), while the longest sheet is .628 m. (almost 25 inches) long and contains four columns (cols. XXXVII–XL). See list of measurements. p. xvii.

XII, where dark brown leather was used; and cols. XLVII and XLVIII, where a very light leather was used). Clear evidence of the long use of the Isaiah scroll in ancient times can be seen on the back of it both in these repairs and in the much darkened area at the center where the hands of many readers held it.

Today the color of the scroll varies from a light tan at the end to a fairly dark brown at the beginning. Some of these variations are doubtless due to age, others perhaps to the original nature of the skins used. The upper right hand corners of cols. XXX and XLVI are very much darker and smoother than the rest of the columns, and are very brittle. All along the upper and lower edges of the scroll there is a darker band which fades into the color of the manuscript about an inch or two from the edge, an obvious result of age. The beautiful state of preservation of the scroll can be attributed only to the care with which it was sealed in the jar many centuries ago, as well as to the fact that the location of the cave above the Dead Sea approximates the climatic conditions found in Upper Egypt or the Faiyum.

Although the writing is in general remarkably well preserved, there are many places where it is faded and indistinct. The first six columns are the poorest on the whole. In other columns the writing seems as clear as it must have been when originally written (cols. XIII, XVI, XIX, XXVII, XXIX, XXX, XXXIII–LIII). In several columns the ink varies considerably (cols. XXI–XXV, XXXI), often apparently as the result of a change of pen or renewal of ink. Col. XLV shows a striking contrast in the quality of the pen used. Beginning with line 10, a new and much finer pen was used. In other columns also this phenomenon is apparent, but to a lesser degree.

One cannot praise the scribe's accuracy, though he frequently noticed his errors and corrected them himself.[1] He used various methods of making his corrections, most frequently inserting an omitted letter or word in the space above the line (V 4,5; VII 1,2,9,18,27; VIII 2, 10, etc.). Once he crowded two lines into the space normally allowed one line (XXX 11 ,12). Occasionally he used a series of dots above, below, or around the error (III 24, 25; X 23; XXIX 3, 10; XXXIII 7; XXXV 15; XL 9); a few times he crossed out a wrong word (VII 11; XVI 14; XLIX 17); at least twice he erased a word (XL 20 and XLII 26); sometimes he wrote the correct letter over an incorrect one (XXVIII 2, 6, 18, 24; XXIX 23; XXXII 9). Several large omissions were supplied later by other hands (cols. XXVIII, XXXII, and XXXIII).[2] In addition a few single words were inserted by a different hand (XXVIII 18; XXXVIII 3, 17 [?]; XLIX 26; and LIV 10).

---

[1] In seven columns (XXII, XXIII, XXVIII–XXXII) the writer has found forty-nine errors of various kinds which were corrected by the original scribe.

[2] For a discussion of the identification of these hands see BASOR No. 113, pp. 6–23.

Scattered through the Isaiah scroll are interesting marginal markings (see fig. 1), probably inserted at a later time, perhaps to mark off sections used for reading

FIGURE 1

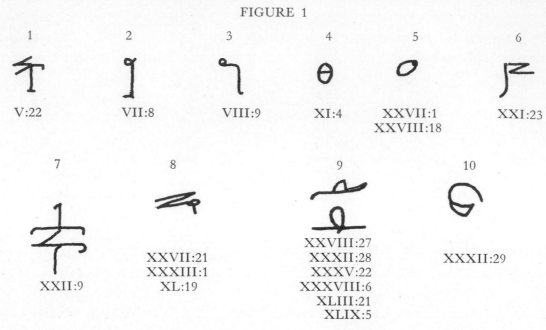

by the sect which owned the manuscripts.[1] In addition to the symbols shown in fig. 1, a scrawled × is found eleven times in the margin between the columns, apparently marking particular passages. Numerous short horizontal lines, some with a slight downward bend on the left, are used at the edges of the columns, setting off passages sometimes of no more than three or four lines.

The only symbols in the body of the text are those in col. XXVII 21 and col. XL 19. The former of these may indicate a variant reading, for the MT reads תראה, while our MS reads תראו (Is. 33:19); in the latter instance, however, there is no variation from the MT. A somewhat similar symbol appears above line 1 in col. XXXIII, but here also the text agrees with the MT. There is a circle above the first line of col. XVII above the word שלוש (Is. 21:16), which does not appear in the MT. A similar circle which appears to the left of the end of line 18 in col. XXVIII may indicate the omission of ירשוה (Is. 34:17; MT reads יירשוה), which has apparently been inserted by the same hand that drew the circle. Symbol 9 (fig. 1) is used at the beginning and end of Is. 36–39.

The scroll has no colophon. In the space left on the last column the word אמר appears for no apparent reason. The א and מ show clearly that the one who wrote the word was not the scribe who prepared the scroll.

---

[1] The curious mark found to the left of line 22 in col. V is very similar to one in DSD, to the right of line 1, col. V. There is also some similarly between the mark to the right of line 9 in col. XXII of the Isaiah scroll and that to the right of line 3 in col. IX of DSD (see BASOR No. 111, pp. 9 and 12).

MEASUREMENTS

Number of columns 54
Average number of lines per column 29.9
Overall length 7.34 m.
Height: maximum .27 m.
      minimum .245
      average .262

MEASUREMENTS OF SHEETS (in meters)

Sheet No.	Length of sheet	Overall height	No. of cols. per sheet	Col. No.
I	.364	.254	3	I–III
II	.499	.253	4	IV–VII
III	.6	.267	4	VIII–XI
IV	.508	.264	4	XII–XV
V	.487	.262	4	XVI–XIX
VI	.35	.264	3	XX–XXII
VII	.425	.268	3	XXIII–XXV
VIII	.252	.264	2	XXVI–XXVII
IX	.443	.267	3	XXVIII–XXX
X	.408	.264	3	XXXI–XXXIII
XI	.432	.268	3	XXXIV–XXXVI
XII	.628	.267	4	XXXVII–XL
XIII	.472	.27	3	XLI–XLIII
XIV	.368	.268	3	XLIV–XLVI
XV	.477	.27	3	XLVII–XLIX
XVI	.382	.264	3	L–LII
XVII	.269	.262	2	LIII–LIV

MEASUREMENTS OF COLUMNS

Sheet	Column	Overall Height	Text Height	Widest Line	No. of lines
I	I	.251	.206	.125	29
	II	.254	.2	.112	29
	III	.247	.203	.101	29
II	IV	.252	.205	.123	29
	V	.244	.211	.115	29
	VI	.251	.21	.119	29
	VII	.252	.211	.114	29
III	VIII	.262	.23	.131	30
	IX	.264	.222	.117	30
	X	.267	.222	.154	30
	XI	.265	.219	.159	30

Sheet	Column	Overall Height	Text Height	Widest Line	No. of lines
IV	XII	.264	.222	.131	31
	XIII	.264	.219	.119	31
	XIV	.264	.221	.114	32
	XV	.264	.206	.127	32
V	XVI	.262	.214	.114	32
	XVII	.259	.213	.120	32
	XVIII	.258	.214	.112	32
	XIX	.261	.216	.112	32
VI	XX	.264	.217	.115	31
	XXI	.264	.219	.104	31
	XXII	.264	.222	.112	31
VII	XXIII	.268	.224	.142	31
	XXIV	.262	.214	.133	31
	XXV	.262	.214	.125	31
VIII	XXVI	.264	.219	.112	32
	XXVII	.262	.202	.111	29
IX	XXVIII	.267	.225	.15	31
	XXIX	.264	.224	.123	30
	XXX	.262	.222	.152	31
X	XXXI	.264	.219	.134	29
	XXXII	.264	.224	.123	29
	XXXIII	.264	.222	.127	29
XI	XXXIV	.268	.224	.139	28
	XXXV	.267	.224	.123	29
	XXXVI	.267	.222	.142	29
XII	XXXVII	.267	.217	.16	29
	XXXVIII	.264	.222	.14	30
	XXXIX	.264	.222	.147	31
	XL	.264	.222	.15	31
XIII	XLI	.264	.222	.157	29
	XLII	.267	.222	.163	29
	XLIII	.267	.23	.129	30
XIV	XLIV	.264	.217	.12	28
	XLV	.268	.219	.119	28
	XLVI	.265	.219	.123	28
XV	XLVII	.267	.224	.142	29
	XLVIII	.27	.222	.148	29
	XLIX	.27	.221	.163	29
XVI	L	.264	.213	.133	29
	LI	.261	.219	.14	29
	LII	.264	.221	.088	29
XVII	LIII	.262	.219	.129	29
	LIV	.258	.132	.127	18

III — THE HABAKKUK COMMENTARY

The Habakkuk Commentary was written by a Jewish sectarian of the Holy Land who wished to show how the national and religious situation of his day had been foretold by the prophet Habakkuk. His chief interest was in the Righteous Teacher (or Teacher of Righteousness) and in the Wicked Priest who had persecuted the Righteous Teacher and his followers. The role of the Righteous Teacher, as this writer presents it, is to proclaim the New Covenant and to interpret the words of God's servants the prophets (col. ii); for it is to him that "God has made known all the mysteries of the words of his servants the prophets" (col. vii, lines 3–5).

The commentator clearly concluded his exposition at the end of what we know as chapter 2 of the book of Habakkuk, for at that point our document appears quite complete, and there are less than four lines of writing in the last column.

Since the commentary naturally follows the order of the prophetic book, a topical outline of its thought cannot adequately represent its varied ramifications. Roughly, however, the material may be outlined as follows:

I. THE RELIGIOUS SITUATION (col. i, line 1, to ii.10a; commentary on Hab. 1:1–5).

The Wicked Priest, the Righteous Teacher, and the Man of the Lie; the New Covenant which God has made known through the Righteous Teacher to the men of the last generation.

II. THE NATIONAL (OR INTERNATIONAL) SITUATION (col. ii.10b to vi.12a; commentary on Hab. 1:6–17).

The subjection of the Holy Land to the *Kittiim*, i.e., the *Kasdim* (Chaldaeans) of Hab. 1:6.

III. THE RIGHTEOUS TEACHER AND HIS PARTY (col. vi.12b to viii.3a; commentary on Hab. 2:1–4).

a) The role of the prophet Habakkuk (Hab. 2:1–2a).

b) The role of the Righteous Teacher (Hab. 2:2b).

c) The righteous who will be saved by their labor and their faith in the Righteous Teacher (Hab. 2:3–4).

IV. THE WICKED PRIEST AND HIS PARTY (col. viii.3b to xii.10a; commentary on Hab. 2:5–17).

Their character and doom; their greed and persecution of the Righteous Teacher. Condemnation of the Oracle of Lies (x.9 ff.).

V. THE DOOM OF IDOLATROUS NATIONS (col. xii.10b to xiii.4; commentary on Hab. 2:18–20).

Their destruction on the Day of Judgment.

The Hebrew of the interpretive material is largely biblical in vocabulary and usage, though words are occasionally used with post-biblical meanings. A number of phrases must be interpreted in the light of their use in DSD and in the kindred "Zadokite" work of the Covenanters of Damascus (CDC).

The quotations of Habakkuk afford an early witness to the text of the prophet. Sometimes the interpretive material apparently presupposes another reading than that directly cited. Thus the text of Hab. 1:11 reads וישם instead of ואשם; but the mention of בית אשמ(ה) in the commentary (col. iv. 10–11) seems to imply acquaintance with the other reading. Likewise the interpretation of Hab. 2:16 is based on the traditional reading והערל instead of the quoted reading והרעל (col. xi.9). Where a passage is directly quoted more than once, verbal differences may be due to errors of memory (e.g., the order of a phrase in Hab. 1:15 f. as cited in col. v. 14–15 and in col. vi. 2–3), or merely to a free manner of quoting (e.g., the reading "blood of a city" for "blood of men" when Hab. 2:17b is quoted a second time in col. xii.7–8, since the word "city" occurs at a later point in the verse as previously quoted in line 1 of the same column). Such instances of free treatment show that the textual value of any variant in this document must be considered with caution.

The scroll was made of two strips of soft leather sewed end to end with linen thread. The hair side, on which the writing was done, was carefully dressed and is smooth to the touch; the obverse side was left undressed and is felt-like in texture. The thickness of the leather averages slightly more than half a millimeter. The smoothed surface was carefully ruled into lines and columns, with ruled margins between columns. The ruling was done with a sharp instrument, leaving a fine depression which is as evident to touch as to sight.

Unfortunately the scroll is mutilated. An irregular line of disintegration or destruction extends throughout the entire length along the bottom. Hence at the bottom of each column a few lines of text are completely missing, while undulations along the edge of the break penetrate to varying depths into the text of the other lines. One portion at the beginning of the scroll has become dissevered from the rest. It contains portions of two columns, the left side of the first extant column and the right side of the second. There is thus a regrettable loss of the right and major portion of col. i and of a few words in the middle of each line in col. ii. Small irregularly shaped lacunae appear in several columns. Around these, on the obverse side, some of the leather has flaked off, or has been eaten off by worms, to a breadth of half a centimeter or more. In other places the same irregular flaking or eating has taken place on the reverse side but has not penetrated to the writing surface.

The mutilation of the scroll makes it impossible to give its original measurements exactly. Apart from the severed portion at the beginning, the scroll measures at the maximum 141.9 cm. in length. If the first two columns were of average width, the entire scroll must have been something over 160 centimeters long. The preserved portion attains a maximum height of 13.7 centimeters in col. vi.[1] To obtain the original height of the document one would have to add to this figure about 7.5 mm. for every missing line, plus the breadth of the lower margin. The first strip of leather, measured from the break in col. ii to the seam between cols. vii and viii, has a maximum length of 62.75 cm. The severed portion has a maximum length of 10 cm. The second strip measures at the upper edge 79.15 cm. in length. Though the end has worn away somewhat, this may have been the shorter of the two lengths of leather. The first contained at least seven columns of text, the second only six. But the latter has beyond the last ruled margin a maximum length of 75.5 mm. without text. There may be have been a bit more than this originally, for there are signs of crumbling at the end. Examination of this portion gives no grounds for suggesting that it was ever attached to a roller.

MEASUREMENTS

Plate	Column	Width	Breadth of margin[7]	Height of margin[8]
LV	i[2]	.043[3]	.012	
	ii	.046[4]		.0235
		:043[5]	.012	
LVI	iii	.0995[6]	.0155	.026
	iv	.089	.015	.03
LVII	v	.109	.018	.029
	vi	.099	.0175	.025
LVIII	vii	.093	.035	.022
	viii	.1165	.014	.021
LIX	ix	.1015	.011	.0205
	x	.105	.015	.023
LX	xi	.088	.0135	.024
	xii	.106	.016	.018
LXI	xiii	.098	.0155	.0135

[1] Col. viii has the largest number of lines of writing but measures only 13.5 cm. in height. The difference in depth of the upper margin accounts for this fact.
[2] Extant material to the right of the ruled margin.
[3] Maximum.
[4] Right-hand portion, to the left of the ruled margin.
[5] Left-hand portion, to the right of the ruled margin.
[6] Cols. iii–xiii are measured within the ruled margins along the first line of text. Since not all of the lines are perfectly horizontal, the measurements frequently vary a fraction from the widths of the columns.
[7] To the left of the column, measured at the first line.
[8] Above the first ruled line on which there is writing, measured at the right margin. The variation is due in part to the wearing of the edge of the manuscript.

IV — THE PALAEOGRAPHY OF THE SCROLLS

The writer has discussed elsewhere the palaeographic characteristics of DSIa and DSH and their differences.[1] Discussions of the bearing of these characteristics on the dating of the manuscripts have appeared and will doubtless continue to appear in various journals.[2] Since it is foreign to the purpose of this volume to debate inferences and conclusions, the present account will be confined to unquestionable facts which the reader can confirm by examining the Plates.

The contrast between the two scrolls is especially strong in the letters א, ב, ה, ט, כ (medial and final), מ (medial), ס, ע, פ (final), צ (medial and final), and ק. Some difference is observable in the other letters in varying degrees. An outstanding difference is the relative lack of final forms of letters in DSIa as compared with DSH. Only final ם and ן are used in DSIa, though כ and צ are usually a little longer in the final than in the medial position. There are many instances of medial מ in the final position, and a few of the final form in the medial position. DSH uses regularly the final forms of כ, מ, נ, פ, and צ.

Other peculiarities to be noted are the elongated כ, מ (medial and final), and צ, and the short-shouldered ל, small upright ע, and almost taillesss ק of DSIa. DSH reveals fewer of these features, since its כ is less elongated and more angular, its ל drops often to the base line, its ק has a long tail, and its ע is much larger.

Ligatures are frequent in both DSIa and DSH, though they are more common in the former.

The hand of the scribe in DSIa is very regular, showing considerable skill with the pen. Occasionally he has crowded a word or two at the end of a line (e.g., cols. XXVIII.24 and XXX.9, 11, 12) or smeared the ink (e.g., col. XXIX.20 24, 28), but on the whole his writing is very elegant, representing the formal book hand of the period. There are on the average 29.9 lines of writing to each column, though the last one has but 18, and others have as many as 32. The letters are hung from the line, not written above it, resulting in an irregular base line. Sentences are not always separated. Frequently, however, spaces of two or more letters appear between sentences or logical thought units. Chapters, of course, are not indicated, but a paragraphing system is used. In most cases paragraphs begin at the margin when the previous line is not full. There are also numerous instances where a new paragraph is indented, but that is usually where the previous line is full. There seems to be no logical consistency in the method of spacing.

[1] BASOR No. 113, pp. 6–23.
[2] See especially BASOR No. 113, pp. 33–35; JBL lxviii (1949), pp. 161–8; JQR xl (1949), pp. 15–78; BASOR No. 115, pp. 10–19, 20–22; No. 116, pp. 16–18. PEQ, Oct. 1949.

The writing of the scribe who prepared DSH is remarkably clear, larger than that of DSIa, and very regular. The ink has been almost perfectly preserved through the intervening centuries. Apparently the scribe took considerable pride in his work; the result may indeed be called beautiful. His characters, besides being larger, are more angular than those of DSIa. Attention has already been called to the similarity of his writing to that of the insertions in DSIa cols. XXXII, line 14, and XXXIII, lines 14–16 and two words in line 19. The most striking feature of this scribe's writing is his use of the archaic Hebrew letters for the Tetragrammaton in the quotations of Habakkuk in cols. vi, line 14; x, lines 7 and 14; and xi, line 10.

With less material to copy and proportionately more space for it, the scribe of DSH was more generous than the scribe of DSIa in the spacing of letters, words, and sections. A space is usually left just preceding each interpretative passage. No special symbols are used, except for eleven instances of an × at the end of a line.

Like the copyist of DSIa, this scribe made mistakes and had to insert corrections between lines, but only thirteen such corrections are found in the extant scroll. Crowding of words, ink smears, or erasures are non-existent.

V — ABBREVIATIONS

(For abbreviations designating the scrolls see above, p. xi.)

BA	*The Biblical Archaeologist*
BASOR	*Bulletin of the American Schools of Oriental Research*
CDC	The Cairo manuscripts of the Damascus Covenanters (see above, p. x, note 2)
JBL	*Journal of Biblical Literature*
JQR	*Jewish Quarterly Review*
PEQ	*Palestine Exploration Quarterly*
RB	*Revue Biblique*

i
1 חזון יש̇עיהו בן אמוץ אשר חזה על יהודה וירושלם̇ בי̇מי עוזיה

יותם אחז חזקיה מלכי יהודה 2 שמעו שמים והאזינו הארץ

כיא יהוה דבר בנים גדלתי ורומ̇מ] והמה פשעו בי 3 ידע שור קו̇נהו

וחמור אבוס בעליו ישראל לוא ידע ועמי לוא [   ]ן 4 הוי גוי חוטה

5
עם כבד עוון זרע מרעים בנים משחיתים עזבו את יה]   [נא.ו את

קדוש ישראל נזרו אחור 5 על מה תכו עו. תוסיפו סרה כול ראוש לחולי

כול לבב דוה 6 מכף רגל ועד רואש אין בו מתם פצע וחבור.   ומכה טריה.

לוא זרו ולוא חבשו ולוא רככה בשמן 7 ארצכם שממה עריכם שרופות

אש אדמתכם לנגדכם זרים אוכלים אותה ושממו עליה כמפכ̇ת ז]ים

10
8 ונתרת בת ציון כסוכה בכרם וכמלונה במקשה כעיר נצורה 9 לולי יהוה

צבאות הותיר לנו שריד כמעט כסודם היינו לעומרה דמינו

שמ. . [   ] יהוה קציני סודם ואזינו ת. .ה אלוהינו עם עומרה 11 מה לי

וב. זבחיכם יואמר יהוה שבעתי עולות אילים וחלב מריאים ודם

פרים וכבשים ו.תודים לוא חפצתי 12 כיא תבאו לראות פני .י בקש זות

15
[ידכם לרמוס חצרי 13 לוא תוסיפו להביא .נחת שוא קטר. תועבה היא

.י חודש ושבת קרא מקרא לוא אוכל און ועצרתה 14 חודשיכם ומועדיכם

שנאה נפשי היו עלי לטרח נלאיתי נשוא 15 ובפרשכם כפיכם אעלים עיני

מכם גם כי הרבו תפלה אינני שומע ידיכמה דמים מלאו אצבעותיכם

בעאון 16 רחצו והזכו והסירו רוע מעלליכם מנגד עיני חדלו הרע 17 למדו

20
היטיב דרושו משפט אשרו חמוץ שפטו יאתום ריבו אלמנה

18 כו [   ] ונוכחה יואמר יהוה אם יהיו חטאיכם כשני כשלג ילבינו

.ם ידומו כתולע כצמר יהיו 19 אם תאבו ושמעתם טוב .אר]

20 אם תמאנו ומריתם בחרב תאכלו כיא פי יהוה דבר

21 .יכה היתה לזונה קריה נאמנה מלאתי משפט צדק ילין]

25
.רצחים 22 כספך היו לסיגים סבאך מהול במים 23 שרי.י

גנבים כולם אוהבי שוחד רודפי שלמונים יאתום לוא ישפ]

אלמנה לוא יבוא אליהם 24 לכן נאום האדון יהוה צבאות]

הוה אנחם מצריי ואנקם מאיבי 25 והשיב ידי עליך וא]

סיגיך ואסי. כול בדיליך 26 ואשיבה שופטיך כבראישו].

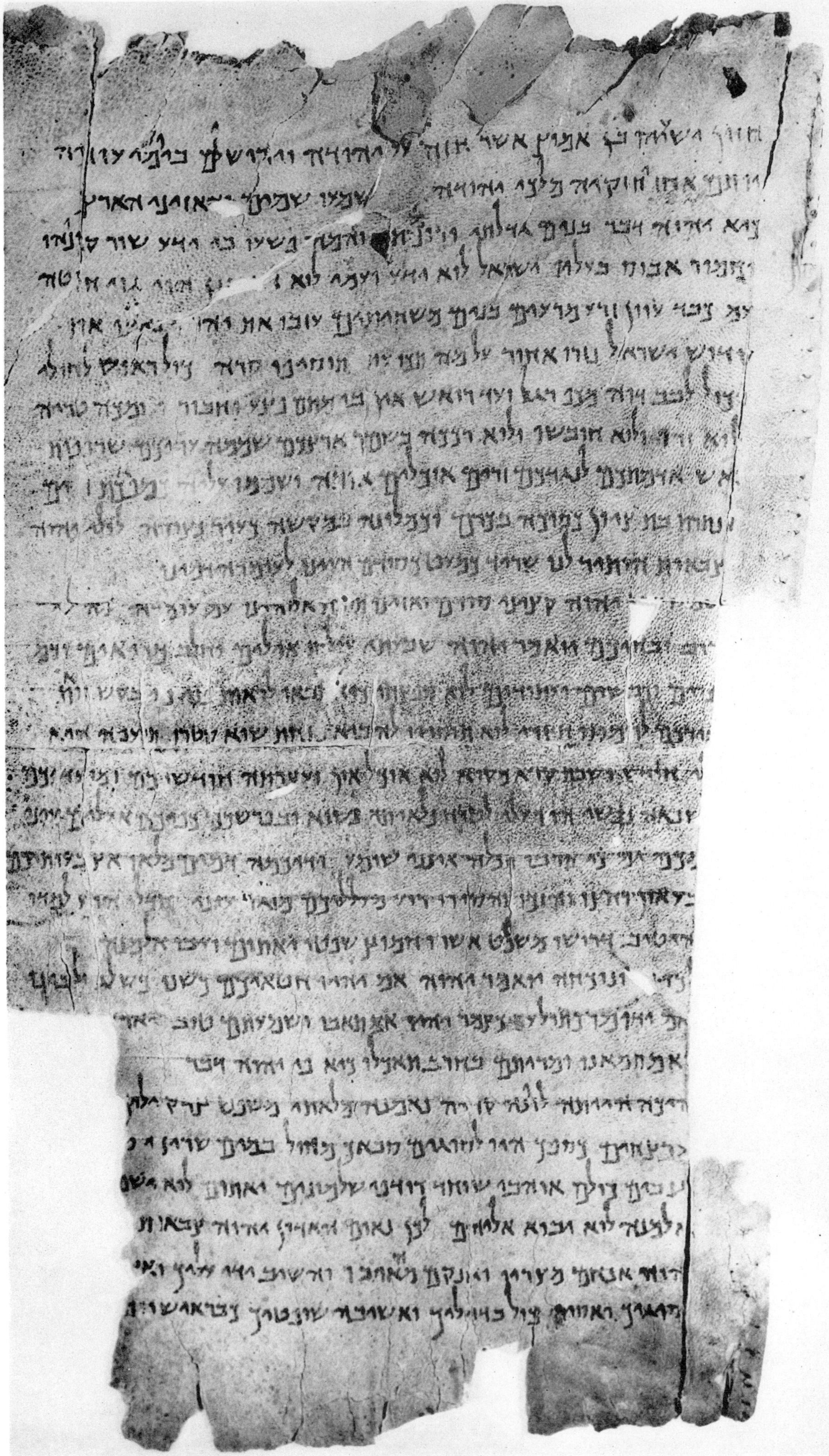

PLATE I

PLATE II

כבתחלה אחרי כן יקראו לך עיר הצדק קריה נאמנה 27 ציון במשפט

תפדה ושביה בצדקה 28 ושבר פושעים וחטאים יחדו ועוזבי

יהוה יכלו 29 כיא יבושו מאלים אשר חמדתם ותחפורו מהגנות

אשר בחרתם 30 כי תהיו כאלה נובלת עלה וכגנה אשר אין מים לה

5   31 והיה החסנכם לנעורת ופעלכם לניצוץ ובערו שניהם יחדו

ואין מכבה

ii   1 הדבר אשר חזה ישעיה בן אמוץ על יהודה וירושלים 2 והיה

באחרית הימים נכון יהיה הר בית יהוה בראש הרים ונשא

מגבעות ונהרו עלוהי כול הגואים 3 והלכו עמים רבים ואמרו

10   לכו ונעלה אל בית אלוהי יעקוב וירונו מדרכיו ונאלכה באורחתיו

כיא מציון תצא תורה .דבר יהוה מירו.לים 4 ושפט בין הגואים   וה

והוכיח בֵין לעמים רבים וכתתו את חרבותם לאתים וחניתותיהם

למזמרות ולוא ישא גוי אל גוי חרב ולוא ילמדו עוד מלחמה

5 בית יעקוב לכו ונלכה באור יהוה 6 כיא נטשתה עמך בית יעקוב

15   כא מלאו מקדם ועוננים כפלשתים ובילדי נכריאים ישפיקו

7 .תמלא ארצו כסף וזהב ואין קץ לאוצרותיו ותמלא ארצו סוסים

ואין קץ למרכבותיו 8 ותמלא ארצו אלילים למעשה ידיו ישתחוו לאשר

עשו אצבעותיו 9 וישח אדם וישפל איש 11 ועיני גבהות אדם

תשפלנה וישח רום אנשים ונשגב יהוה לבדו ביום ההוא

20   12 כיא יום ליהוה צבאות על כל גאה ורם ונשא ושפל 13 ועל כל ארזי

הלבנון הרמים והנשאים ועל כל אלוני הבשן 14 ועל כל ההרים

[ים ועל כול הגבעות הנשאות 15 ועל כול מגדל גבה ועל כול

[צורה 16 ועל כול אניות תרשיש ועל כול שכיות החמדה 17 ושח

[אדם ושפל רום אנשים ונשגב יהוה לבדו ביום הה.א

18   25   [כליל יחלופו 19 ובאו במערות צורים ובמחלות עפר מפני

[וה ומהדר גאונו בקומו לערוץ הארץ

20   [הוא ישליך האדם את אלילי כספו ואת אלילי זהבו אשר

[עותיו להשתחות לחפרפרים ולעטלפים 21 לבוא בנקרות

[עפי הסלעים מפני פחד יהוה ומהדר גאו.ו

בקומו לערוץ הארץ 22 חדלו לכמה מן האדם אשר נשמה
באפו כיא במה נחשב הוא
iii 1 כיא הנה הא.ון יהוה צבאות מהסיר מירושלם ומיהודה
משען ומשענה כל משען לחם וכול משען מים 2 גבור ואיש
מלחמה שופט ונביא וקוסם וזקן 3 שר חמשים ונשא פנים
ויעץ וחכם חרשים ונבון לחש 4 ונתתי נערים שריהם
ותעלולים ימשולו בם 5 ונגש העם איש באיש ואיש ברעהו
ירהבו הנער בזקן והנקלה בנכבד 6 כיא יתפוש איש באחיהו
בית אביו שמלה לכה קצין תהיה לנו והמכשלה הזאות
תחת ידיך 7 וישא ביום ההוא לאמור לוא אהיה חובש
ובביתי אין לחם ואין שלמה לוא תשימוני קצין עם 8 כי כשלה
ירושלים ויהודה נפלה כי לשונם ומעלליהם על יהוה למרות
עיני כבודו 9 הכרות פניהם ענתה בם וחטאתם כסודם הגיד
ל
ולוא כחדו אוי לנפשם כיא גמלו להם רעה 10 אמורו צדיק
כיא טוב כיא פרי מעלליהמה יאכלו 11 אוי לרשע רע כיא
גמול ידו ישוב לוא 12 עמי נגשו מעולל ונשים משלו בו עמי
משריך מתעים ידרך אורחותיך [ ]ו
13 נצב לריב יהוה עומד לדין עמים 14 יהוה במשפט יבוא עם
כם
זקני עמו ושריו ואתמה בערתם הכרם גזלת העני בבתי
אדוני
15 מלכמה תדכאו עמי ופני עניים תטחנו נואם יהוה
צבאות
16 ויואמר יהוה יען כיא גבהו בנות ציון ותלכנה נטוות
גרון ומשקרות עינים הלוך וטופף תלכנה וברגליהנה
יהוה
תעכסנה 17 ושפח אדוני קדקד בנות ציון ואדוני פתחן
ם אדוני
יערה 18 ביום ההוא יסיר יהוה את תפארת העכיסי
והשבישים והשהרנים 19 והנטפות והשירות והרעלות
20 והפארים והצעדות וקשרים ובתי הנפש והלחשים
21 וה[ ]ות ו.זמי האף 22 והמחלצות והמעטפות והחריטים
23 והגליונים והסדינים והצניפות והרדידים 24 ויהיו

PLATE III

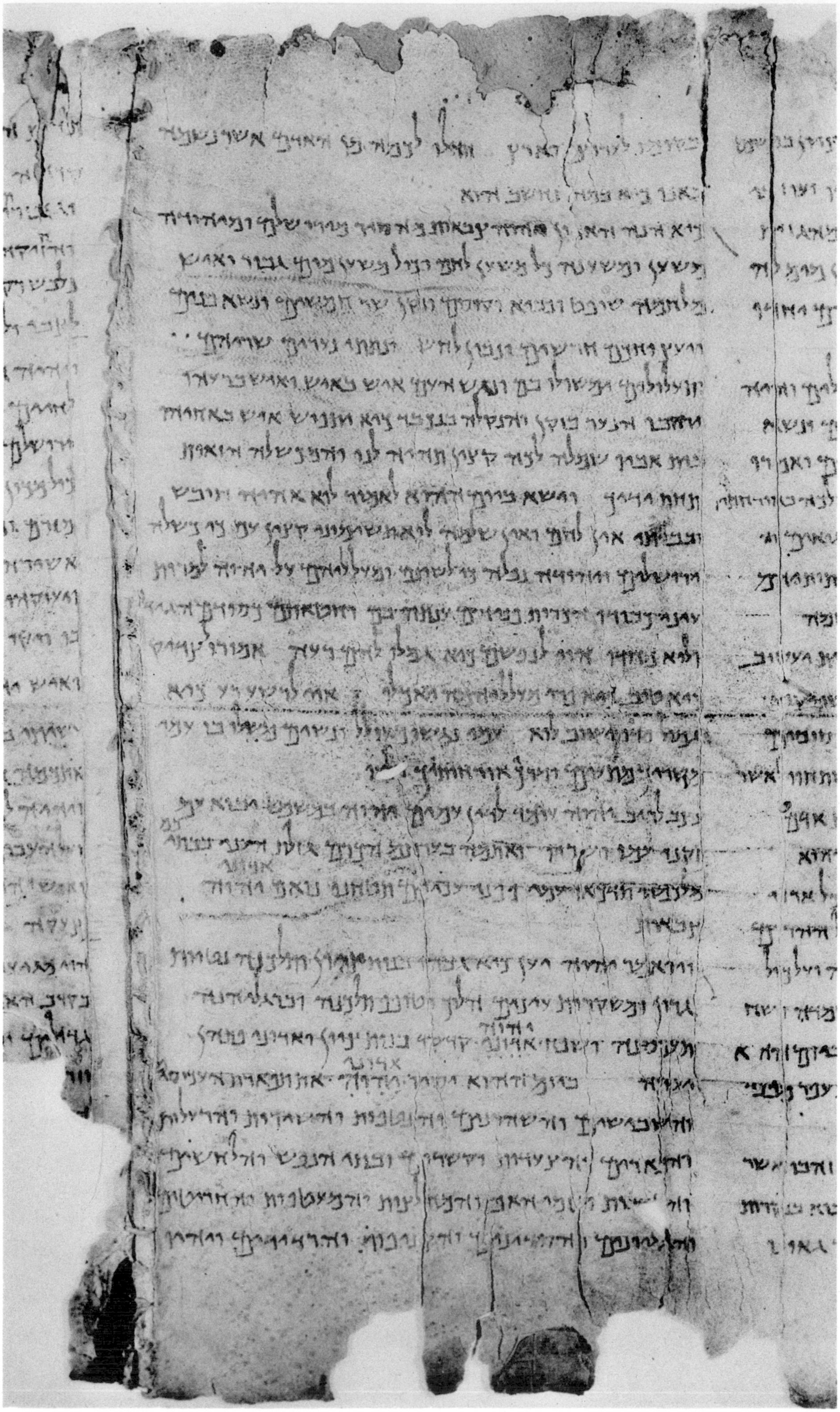

PLATE IV

תחת הבשם מק ותחות הגורה נק[ ]ה ותחות מ[ ]ה מקשה
קרחה ותחת פתיגיל מחגרת שק כי תחת יפי בשת 25 מתיך בחרב יפולו
ות
וגבוריך במלחמה 26 ואנו ואבלו פתחיה ונקתה לארץ תשב
ח
1 והזיקה שבע נשים באיש אחד ביום ההוא לאמור לחמנו נאכל ושלמתנו iv
נלבש רק יקרא שמך עלינו אסף חרפתנו 2 ביום ההוא יהיה צמח יהוה
לצבי ולכבוד ופרי הארץ לגאון ולתפארת לפליטת ישראל ויהודה
3 ויהיה הנשאר בציון והנותר בירושלם קדוש יאמר לו כול הכתוב
לחיים בירושלם 4 אם רחץ אדוני את צאת בנות ציון ואת דמי
ירושלם ידיח מקרבה ברוח משמט וברוח סער 5 ויברא יהוה על
כול מכון הר ציון ועל מקראה ענן יומם 6 מחרב ולמחסה ולמסתור
מזרם וממטר
1 אשירה לידידי שירת דודי לכרמו כרם היהא לידידי בקרן בן שמן v
2 ויעזקהו ויסקולהו ויטעהו שורק ויבנא מגדל בתוכו וגם יקב חצב
בו ויקו לעשות ענבים ויעשה באושים 3 ועתה יושבי ירושלם
ואיש יהודה שפוטונה ביני ובין כרמי 4 מה לעשות עוד בכרמי ולוא
עשיתי בו מדוע קויתי לעשות ענבים וישה באושים 5 ואתה אודיע נא
אתכמה את אשר אני עושא לכרמי אסיר משוכתו ויהיה בער פרץ גדרו
ויהיה למרמס 6 ואשיתהו בתה ולוא יזמר ולוא יעדר ועלה שמיר ושית
ועל העבים אצוה מהמטיר עליו מטר 7 כי כרם יהוה צבאות בית ישראל
ואיש יהודה נטע שעשועו ויקו למשפח והנה למשפח לצדקה והנה
צעקה
8 הוי מגיצי בית בבית שדה בשדה יקריבו עד אפס מקום וישתם בדכם
בקרב הארץ 9 באזני יהוה צבאות אם לוא בתים רבים לשמה יהיו
גדולים וטובים מאין יושב 10 כי עשרת צמדי כרם יעשו בת אחד
וזר[ ]שה איפה
11] בקר שכר ירדופו מאחזי בנשף יין ידליקם 12 והיה
]ין משתיהם ואת פעלת יהוה לוא הביטו ומעשה
13] עמי מבלי דעת וכבודו מתי רעב והמונו
14]רחיבה שאול נפשה ופערה פיה לבלי חוק וירד

הדרה והמונה ושאונה וע[ ] בה 15 ישח אדם וישפל איש ועיני
גבהים תשפלנה 16 ויגבה יהוה צבאות במשפט והאל הקדוש נקדש
בצדקה 17 ורעו כבושים כדברם וחרבות מיחים גרים יאכלו
18 הוי משכי העוון בחבלי השו וכעבות העגלה חטאה 19 האומרים ימהר
יחיש מעשהו למען נראה ותקרבה ותבואה עצת קדוש ישראל
ונדע 20 הוי האומרים לרע טוב ולטוב רע שמים חושך לאור
ואור לחושך שמים מר למתוק ומתוק למר 21 הוי חכמים בעיניהם
ונגד פניהם נבונים 22 הוי גבורים לשתות יין ואנשי חיל למסך
שכר 23 מצדיקי רשע עקב שחוד וצדקת צדיקים יסירו ממנו 24 לכן
כאכל קש לשון אש ואש לוהבת ירפה שרשם כמק יהיה ופרחם
כאבק יעלה כיא מאסו את תורת יהוה צבאות ואת אמרת קדוש
ישראל נאצו 25 על כן חרה אף יהוה בעמו ויט ידיו עליו ויכהו
וירגזו ההרים ותהיה נבלתם כסוחה בקרב חוצות בכול זאות
לוא שב אפו ועוד ידיו נטויה 26 ונשא נס לגואים מרחוק ושרק
לוא מקצה הארץ והנה מהרה קל יבוא 27 אין יעף ואין כושל ולוא
ינום ולוא יישן ולוא נפתחה אזור חלציו ולוא נתק שרוך נעליו 28 אשר
חציו שנונים וכול קשתותיו דרוכות פרסות סוסיו כצור נחשבו
וגלגליו כסופה 29 שאגה לו כלביא ושאג וככפירים ינהם ויאחז
טרף ויפליט ואין מציל 30 ינהם עליו ביום ההוא כנהמת ים ונבט
לארץ והנה חושך צר ואור חשך בעריפיה
vi 1 בשנת מות המלך עוזיה אראה את אדוני יושב על כסא רם ונשא
ושוליו מלאים את ההיכל 2 שרפים עומדים ממעלה לו שש כנפים
אחד בשתים יכסה פניו ובשתים יכסה רגליו ובשתים יעופף
3 וקראים זה אל זה קדוש קדוש יהוה צבאות מלא כול הארץ כבודו
4 וינועו אמות הספים מקול הקורה והבית נמלא עשן 5 ואמר
אילי כי נדמיתי כיא איש טמה שפתים אנוכי ובתוך עם טמא
שפתים אנוכי יושב . . א את המלך יהוה צבאות ראו עיני
6 ויעוף אלי אחד מן השרפים ובידו רצפה במלקחים לקח
]ל המ[7]יואמר הנה נגע זה על שפתיך וסר

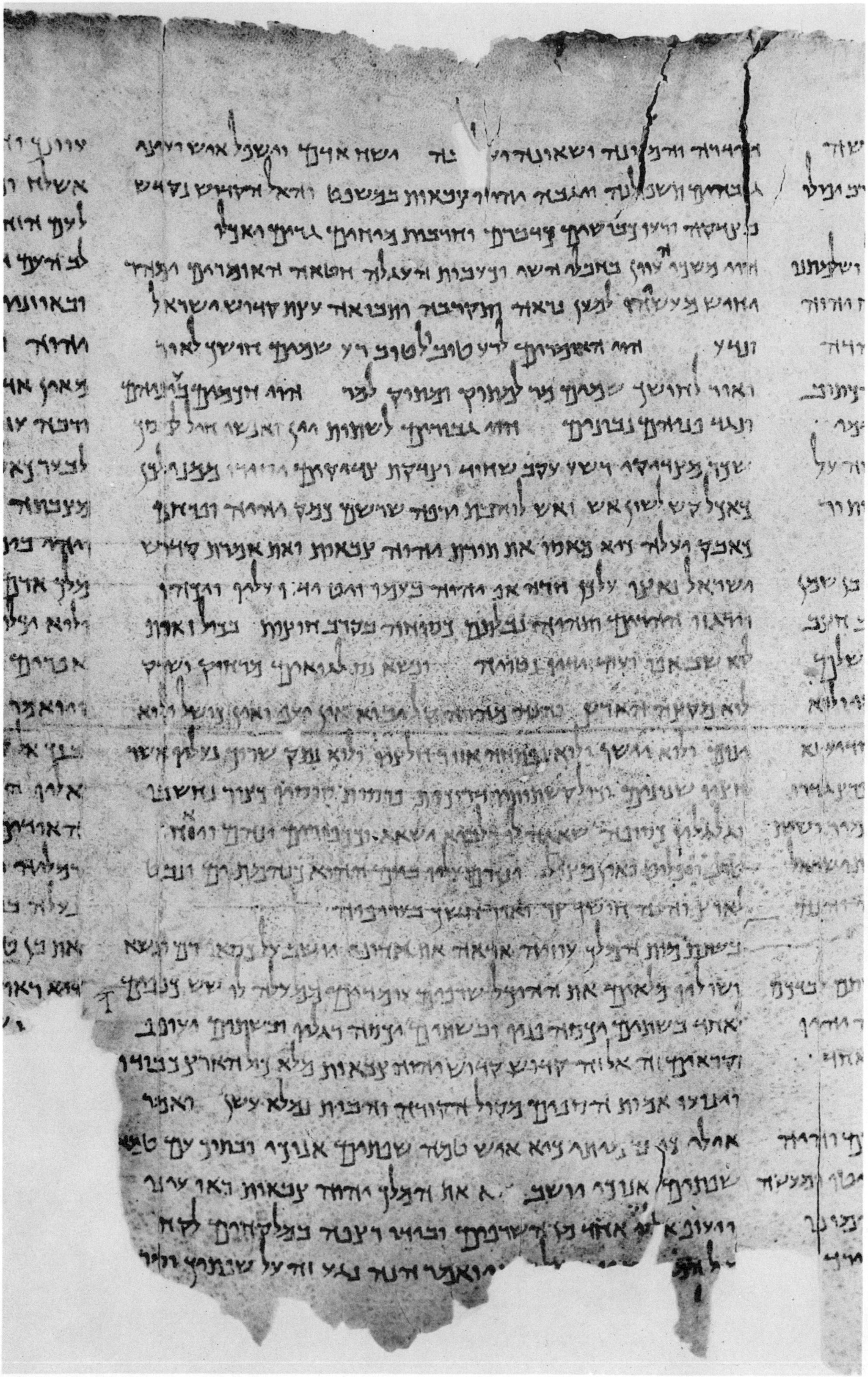

PLATE V

PLATE VI

עוונך והטאותיך תכפר 8 ואשמע את קול אדוני אמר את מי
אשלח ומי ילך לנו ואמרה הנני שלחני 9 ויואמר לך ואמרתה
לעם הזה שמעו שמוע ועל תבינו ראו ראו ועל תדעו 10 השם
לב העם הזה ואוזניו הכבד ועיניו השע פן יראה בעיניו
ובאוזניו ישמעו בלבבו יבין ושב ורפא לו 11 ואמרה עד מתי
יהוה ויואמר עד אשר אם שאו ערים מאין יושב ובתים
מאין אדם והאדמה תשאה שממה 12 ורחק יהוה את האדם
ורבה עזובה בקרב הארץ 13 ועוד בה עשיריה ושבה והייתה
לבער כאלה וכאלון אשר משלכת מצבת במה זרע הקודש
מצבתה
vii 1 ויהי בימי אחז בן יותם בן עוזיה מלך יהודה עלה רצין
מלך ארם ופקח בן רומליה מלך ישראל ירושלם למלחמה עליה
ולוא יכלו להלחם עליה 2 ויגד לבית דויד לאמור נחה ארם על
אפרים וינע לבב עמו כנע עצי היער מפני הרוח
3 ויואמר יהוה אל ישעיה צא נא לקראת אחז אתה ושאר ישוב
בנך אל קצה תעלת הברכה העליונה אל מסלת שדה כובס 4 ואמרת
אליו השמר והשקט ואל תירא ולבבך אל ירך משני זנבות
האודים העושנים האלה כי בחורי אף רצין וארם ובן
רמליה 5 יען כי יעץ עליך ארם רעה אפרים ובן רומליה לאמור
6 נעלה ביהודה ונקיצנה ונבקענה אלינו ונמליך מלך בתוכה
את בן טבאל 7 כה אמר אדוני יהוה לוא תקום ולוא תהיה
8 כיא ראוש ארם דרמשק וראוש דרמשק רצין ובעוד ששים
] שנה יחת אפרים מעם 9 וראוש אפרים שומרון וראוש
] רומליה אם לוא תאמינו כיא לוא תאמינו
10]ה דבר אל אחז לאמור 11 שאל לך אות מעם יהוה אלוהיך
]אלה או הגבה למעלה 12 ויואמר אחז לוא אשאל ולוא
]ת יהוה 13 ויואמר שמעו נה בית דויד המעט מכמה
]נשים כי תלאו גם את אלוהי 14 לכן יתן יהוה הוה לכ[
] העלמה הרה וילדת בן וקרא שמו עמנואל 15 חמא[

יאכל לדעתו מאוס ברע ובחר בטוב 16 כי בטרם ידע הנער
מאס ברע ובחור בטוב תעוזב האדמה אשר אתה קץ מפני
שני מלכיה 17 ויביא יהוה עליך ועל עמך ועל בית אביך ימים
אשר לוא באו למיום סור אפרים מעל יהודה את מלך אשור
18 והיה ביום ההוא ישרוק יהוה לזבוב אשר בקצה יארי
מצרים ולדבורא אשר בארץ אשור 19 ובאו ונחו כולם בנחלי
הבתות ובנקיקי הסלעים ובכול הנעצוצים ובכול הנהלוילים
20 ביום ההוא יגלח אדוני בתער השכירה בעברי נהר במלך
אשור את הראוש ושער הרגלים וגם אתה הזקן תספה
21 והיה ביום ההוא יחיה איש עגלת בקר ושתי צאן 22 והיה
מרוב עשות חלב יאכל חמאה כיא חמאה ודבש יאכל כול
הנותר בקרב הארץ
23 והיה ביום ההוא כול המקום אשר יהיה שם אלף גפן
באלף כסף לשמיר ולשית יהיה 24 בחצים ובקשתות יבוא
שמה כיא שמיר ושית תהיה כול הארץ 25 וכול ההרים
אשר במעדר יעדרון לוא תבוא שמה יראת שמיר .ש.ת
והיה למשלח שור ולמרמס שה
viii 1 ויאומר יהוה אלי קח לך גליון גדול וכתוב עליו בחרט
אנוש למהר שלל חש בז 2 והעד לי עדים נאמנים א.
אוריה הכוהן ואת זכריה בן יברכיה 3 ואקרב אל
הנביא ותהר ותלד בן ויאומר יהוה אלי קרא
שמו מהר שלל חש בז 4 כיא בטרם ידע הנער לקראו
אביו ואמו ישא את חיל דרמשק ואת שלל שומרון
לפני מלך אשור
5 ויוסף יהוה דבר אלי עוד לאמור 6 יען כיא מאס העם הזה
את מי השולח ההולכים לאוט ומשוש את רצין ואת בן
] 7 ולכן ה[אדוני] מעלה עליהם את מי הנהר[
]ך אשור ואת כול כבודו ועלה
]גדוותיו 8 וחלף ביהודה שטף

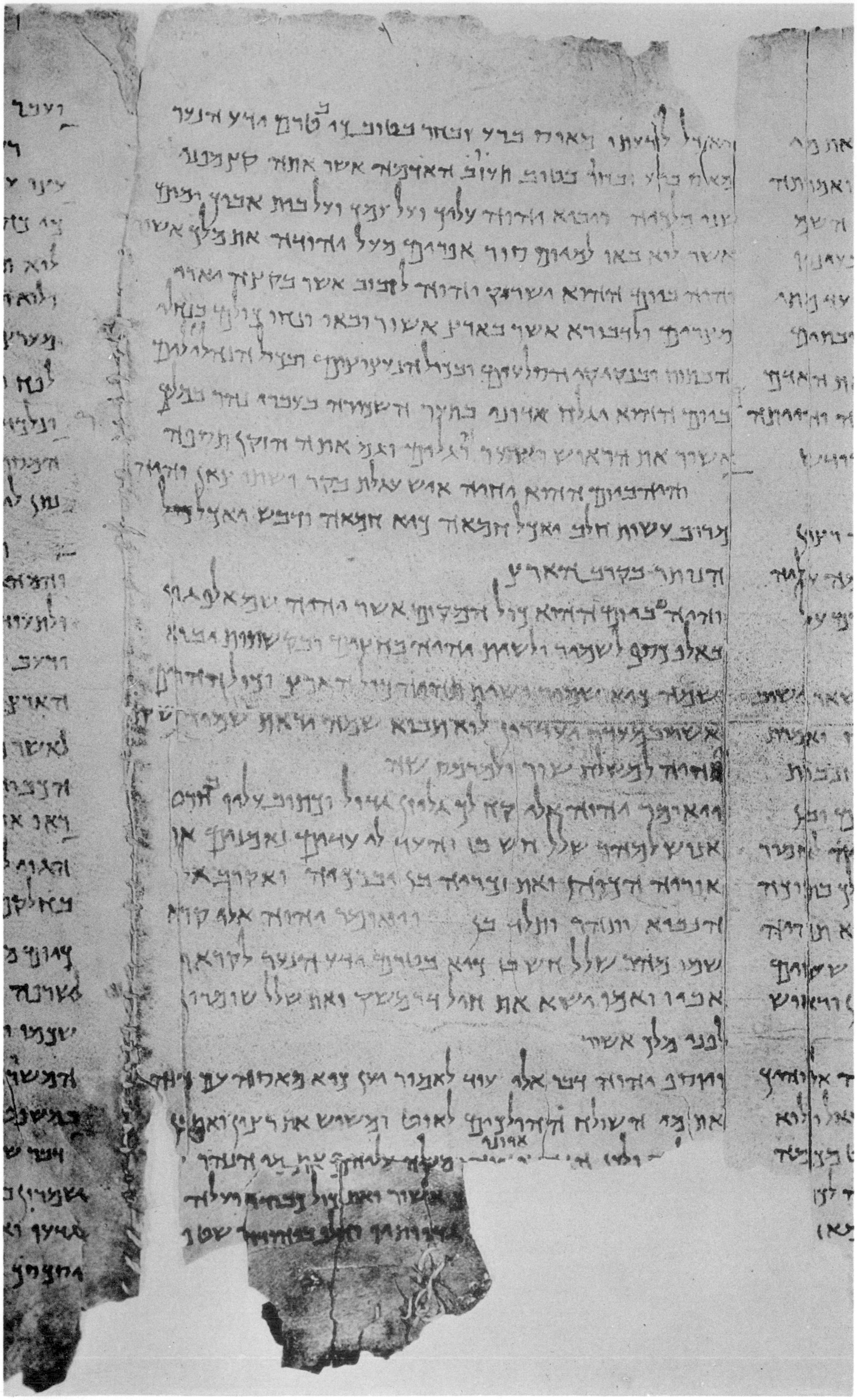

PLATE VII

PLATE VIII

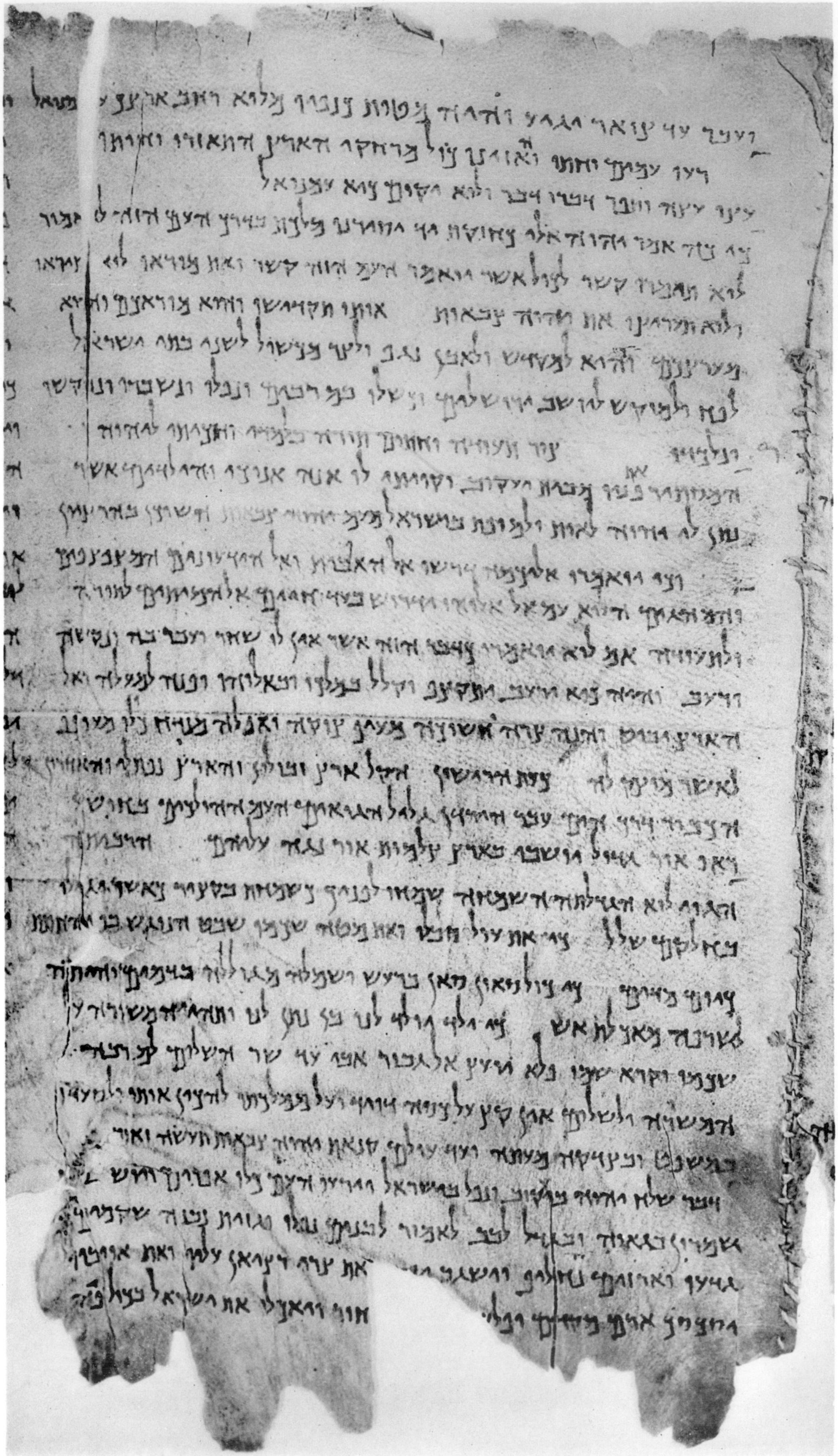

ועבר עד צואר יגיע והיה מטות כנפיו מלוא רחב ארצך עמנואל
9 רעו עמים וחתו והאזינו כול מרחקי הארץ התאזרו וחותו
10 עצו עצה ותפר דברו דבר ולוא יקום כיא עמנואל
11 כי כה אמר יהוה אלי כחזקת יד יסירני מלכת בדרך העם הזה לאמור
12 לוא תאמרו קשר לכול אשר יואמר העם הזה קשר ואת מוראו לוא תיראו
ולוא תעריצו 13 את יהוה צבאות אותו תקדישו והוא מוראכם והוא
מערצכם 14 והיא למקדש ולאבן נגף ולצר מכשול לשני בתי ישראל
לפח ולמוקש ליושב ירושלים 15 וכשלו בם רבים ונפלו ונשברו ונוקשו
ונלכדו 16 צור תעודה וחתום תורה בלמדי 17 וחכיתי ליהוה
המסתיר את פניו מבית יעקוב וקויתי לו 18 אנה אנוכי והילדים אשר
נתן לי יהוה לאות ולמופת בישראל מעם יהוה צבאות השוכן בהר ציון
19 וכי יואמרו אליכמה דרשו אל האובות ואל הידעונים המצפצפים
והמהגים הלוא עם אל אלוהו ידרוש בעד חיים אל המיתים 20 לתורה
ולתעודה אם לוא יואמרו כדבר הזה אשר אין לו שחר 21 ועבר בה ונקשה
ורעב והיה כיא ירעב יתקצף וקלל במלכו ובאלוהו ופנה למעלה 22 ואל
הארץ יביט והנה צרה חושכה מעוף צוקה ואפלה מנדח 23 כולו מעופף
לאשר מוצק לה כעת הרישון הקל ארץ זבולון והארץ נפתלי והאחרון
ix הכביד דרך הים עבר הירדן גליל הגואים 1 העם ההולכים בחוש.
ראו אור גדול יושבי בארץ צלמות אור נגה עליהם 2 הרביתה
הגוי לוא הגדלתה השמחה שמחו לפניך כשמחת בקציר כאשר יגילו
בחלקם שלל 3 כי את עול סבלו ואת מטה שכמו שבט הנוגש בו והחתת
כיום מדים 4 כי כול סאון סאן ברעש ושמלה מגוללה בדמים והיתה
לשרפה מאכלת אש 5 כי ילד יולד לנו בן נתן לנו ותהי המשורה על
שכמו וקרא שמו פלא יועץ אל גבור אבי עד שר השלום 6 למרבה
המשורה ולשלום אין קץ על כסה דויד ועל ממלכתו להכין אותו ולסעדו
במשפט ובצדקה מעתה ועד עולם קנאת יהוה צבאות תעשה זאות
7 דבר שלח יהוה ביעקוב ונפל בישראל 8 וירעו העם כלו אפרים ויוש.
שמרון בגאוה ובגדל לבב לאמור 9 לבנים נפלו וגזית נבנה שקמים
גדעו וארזים נחליף 10 וישגב י[ ] את צרי רציאן עליו ואת אויביו
יסכסך 11 ארם מקדם ופל[ ]חור ויאכלו את ישראל בכול פה

ובכול זהז לוא שב אפו ועוד ידיו נטויה 12 והעם לוא שב על מכהו
ואת יהוה צבאות לוא דרשו
13 ויכרת יהוה מישראל ראש וזנב כפה ואגמן ביום אחד 14 זקן ונשא
פנים הוא הראש ונביא מורה שקר הוא הזנב 15 ויהיו מאשרי
העם הזה מתעים ומאשריו מבלעים 16 על כן על בחוריו לוא יחמל
אדוני ואת יתומיו ואת אלמנותיו לוא ירחם כי כולו חנף ומרע
וכול פה דבר נבלה בכול זואת לוא שב אפו ועוד ידיו נטויה
17 כי בערה כאש רשעה שמיר ושית תאכל ותצת בסבכי היער
ויתאבכו גיאות עשן 18 מעברת יהוה צבאות נתעם הארץ ויהיו
העם כמאכלת אש איש אל אחיו לוא יחמולו 19 ויגזר על ימין ורעב
ויאכל ועל שמאול ולוא שבעו איש בשר זרועו יואכל 20 מנשה
את אפרים ואפרים את מנשה יחדו המה על יהודה ובכול זואת
לוא שב אפו ועוד ידיו נטויה
x 1 הוי חוקקים חוקקי און ומכתבים עמל כתבו 2 להטות מדין
דלים ולגזול משפט עניי עמי להיות אלמנות שללם ואת יתומים
יבוזו 3 ומה תעשו ליום פקודה ולשאה ממרחק תבוא על מי תנוסו
לעזרה ואנה תעזובו כבודכם 4 בלתי כרע תחת אסיר ותחת הרוגים
יפלו ובכול זואת לוא שב אפו ועוד ידיו נטויה
5 הוי אשור שבט אפי ומטה הוא בידם זעמי 6 בגוי חנף אשלחנו
ועל עם עברתי אצונו לשלול שלל ולבז בז ולשים מרמס כחמר חוצות
7 והוא לוא כן ידמה ולבבו לוא כן יחשוב כיא להשמיד בלבבו ולהכרית
גואים לוא מעט 8 כיא יואמר הלוא שרי יחדו מלכים 9 הלוא ככרכמיש
כלנו אם לוא כארפד מת אם לוא כדרמשק שומרון 10 כאשר מצאה ידי
לממלכות האלילים ופסיליהם מירושלים ומשומרון 11 הלוא כאשר עשיתי
לשומרון ולאליליה כן אעשה לירושלים ולעצביה 12 כי יבצע אדוני
את כול מעשיהו בהר ציון ובירושלים אפקוד על פרי גודל לבב
מלך אשור ועל תפארת רום עיניו 13 כי יואמר בכוח ידי עשיתי וב.כמתי
]בונתי ואסר גבלות עמים ועתידותיהמה ..שיתי ואו.יד
]ים 14 ותמצא כקן ידי לחיל העמים וכ.סוף בצים
]ץ אני אספתי ולוא היה נודד כנף ופוצה פה

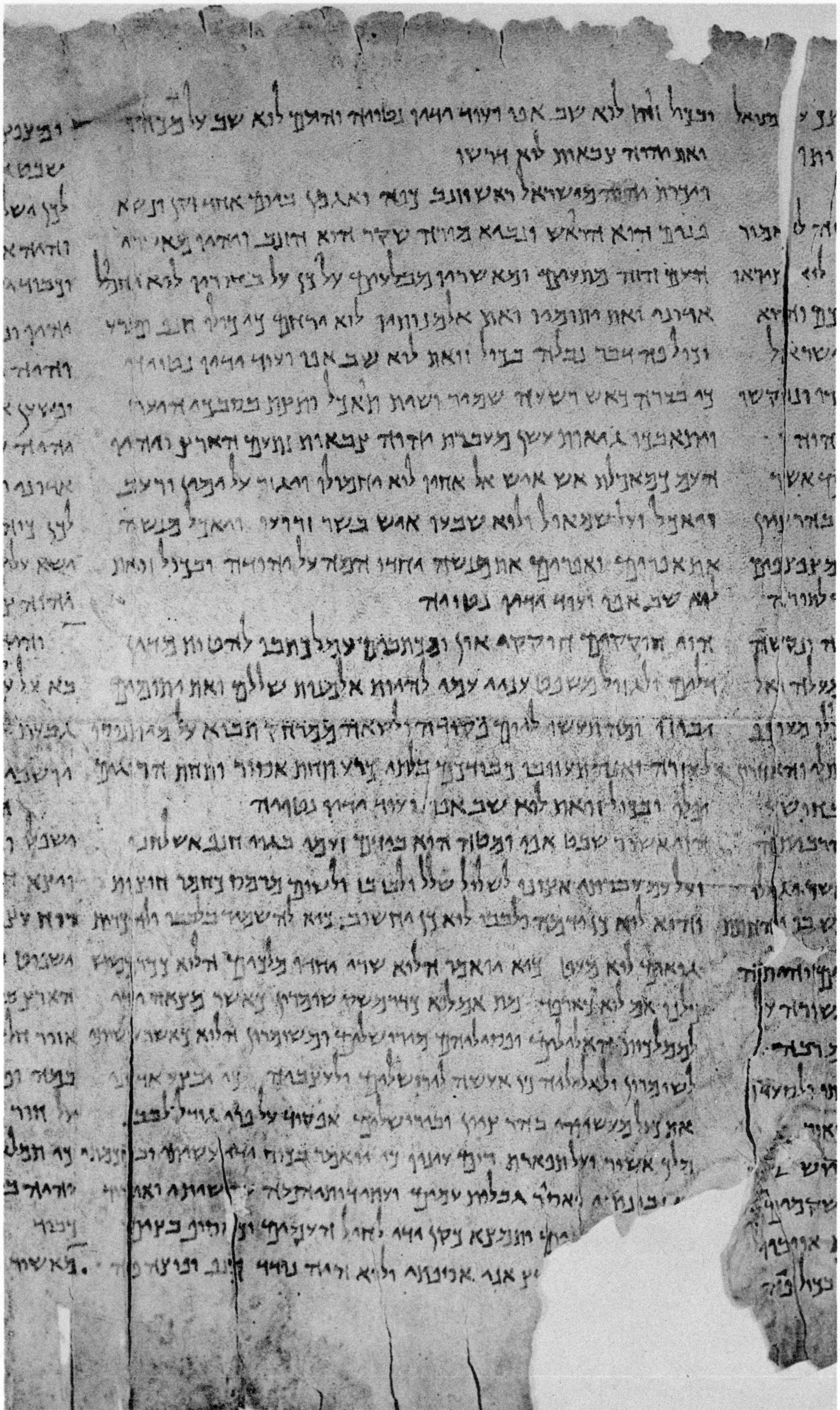

PLATE IX

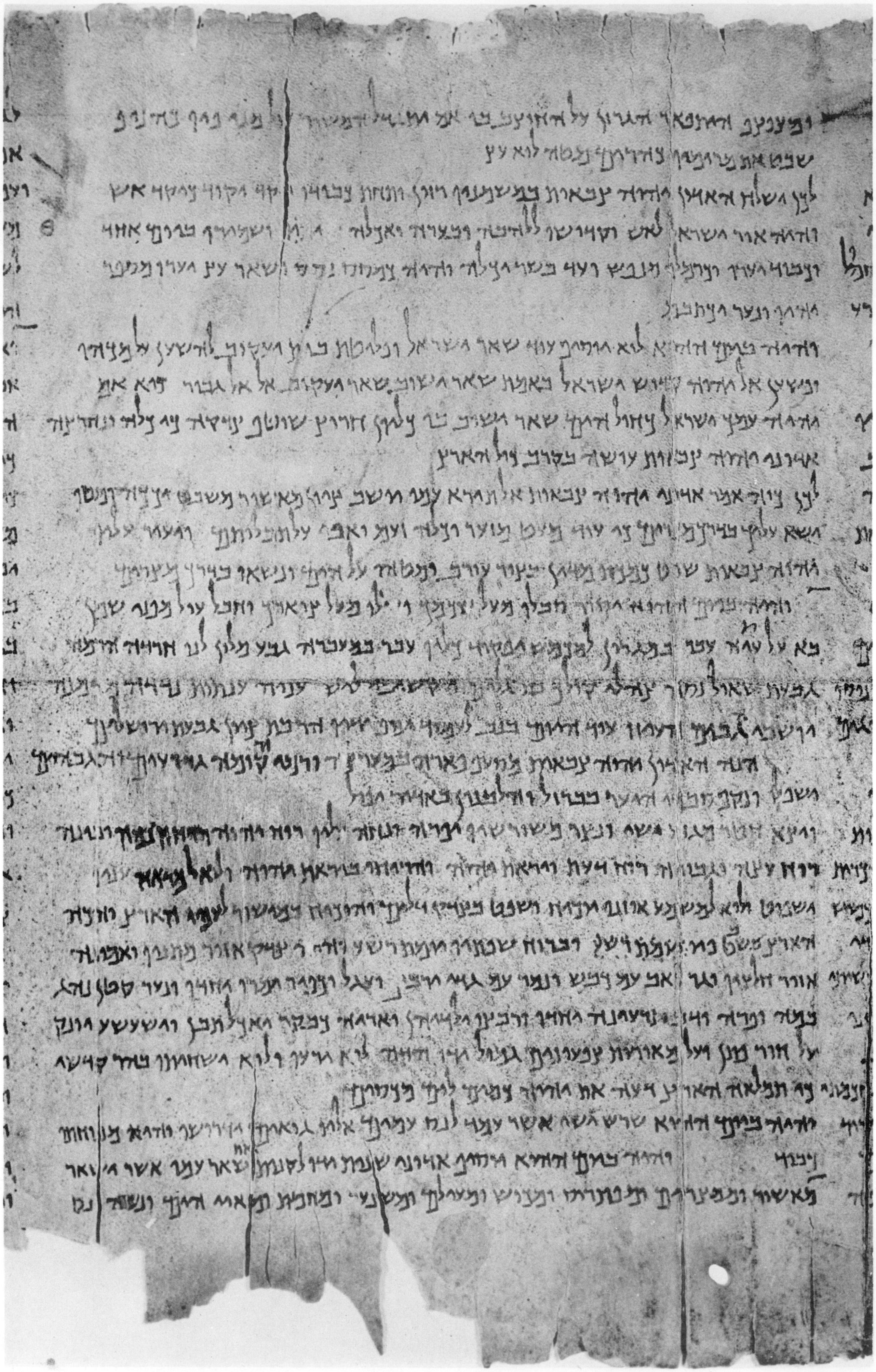

PLATE X

ומצפצף 15 היתפאר הגרזן על החוצב בו אם יתגדל המשור על מניפיו כהניף
שבט את מרימיו כהרים מטה לוא עץ
16 לכן ישלח האדון יהוה צבאות במשמניו רזון ותחת כבודו יקד יקוד כיקד אש
17 והיה אור ישראל לאש וקדושו ללהבה ובערה ואכלה .י.יו ושמירו ביום אחד
18 וכבוד יערו וכרמלו מנפש ועד בשר יכלה והיה כמסס נסס 19 ושאר עץ יערו מספר
יהיו ונער יכתבם
20 והיה ביום ההוא לוא יוסיף עוד שאר ישראל ופליטת בית יעקוב להשען על מכהו
ונשען אל יהוה קדוש ישראל באמת 21 שאר ישוב שאר יעקוב אל אל גבור 22 כיא אם
יהיה עמך ישראל כחול הים שאר ישוב בו כליון חרוץ שוטף צדקה 23 כי כלה ונחרצה
אדוני יהוה צבאות עושה בקרב כול הארץ
24 לכן כוה אמר אדוני יהוה צבאות אל תירא עמי יושב ציון מאשור משבט יככה ומטו
ישא עליך בדרך מ.רים 25 כי עוד מעט מזער וכלה זעם ואפי על תבליתם 26 ויעיר עליו
יהוה צבאות שוט כמכת מדין בצור עורב ומטהו על הים ונשאו בדרך מצרים
27 והיה ביום ההוא יסור סבלו מעל שכמך ו.לו מעל צוארך וחבל עול מפני שמן
28 בא על עיה עבר במגרון למכמש יפקיד כליו 29 עבר במעברה גבע מלון לנו חרדה הרמה
גבעת שאול נסה 30 צהלי קולך בת גלים הקשיבי ליש עניה ענתות 31 נדדה מ.מנה
יושבי ג[ה]בים העיזו 32 עוד היום בנב לעמוד ינוף ידיו הר בת ציון גבעת ירושלים
33 הנה האדון יהוה צבאות מסעף פארה במערצה ורמי [ה]קומה גדועים והגבהים
ישפלו 34 ונקף סב.י היער בברזל והלבנון באדיר יפול
xi 1 ויצא חטר מגז. ישי ונצר משורשיו יפרה 2 ונחה .ליו רוח יהוה רוח חכמה ובינה
רוח עצה וגבו.ה רוח דעת ויראת יהוה 3 והריחו ביראת יהוה ולא למראה עניו
ישפוט ולוא למשמע אוזנו יוכיח 4 ושפט בצדק דלים והוכיח במישור לענוי הארץ והכה
הארץ בשט[ב] פיו יָוְמִתְ רְשִׁעְ וברוח שפתיו יומת רשע 5 והיה צדק אזור מתניו ואמונה
אזור חלציו 6 וגר .אב עם כבש ונמר עם גדי ירבץ ועגל וכפיר ומרי יחדו ונער קטן נהג
במה 7 ופרה ודב תרעינה יחדו ירבצו ילדיהן ואריה כבקר יאכל תבן 8 וישעשע יונק
על חור פתן ועל מאורות צפעונים גמול ידו הדה 9 לוא ירעו ולוא ישחיתו בהר קדשי
כי תמלאה הארץ דעה את יהוה כמים לים מכסים
10 והיה ביום ההוא שרש ישי אשר עמד לנס עמים אליו גואים ידרושו והיא מנוחתו
כבוד 11 והיה ביום ההוא יוסיף אדוני שנית ידו לקנות שאר[את] עמו אשר ישאר
מאשור וממצרים ומפתרוס ומכוש ומעילם ומשנער ומחמת ומאיי הים 12 ונשה נס

לגואים ואסף נדחי ישראל ונפוצות יהודה יקבץ מכנפות הארץ 13 וסרה קנאת
אפרים וצוררי יהודה יכרתו אפרים לוא יקנא את יהודה ויהודה לוא יצר את אפרים
14 ועפו בכתף פלשתיים ימה יחדו יבוזו את בני קדם אדום ומואב משלוח ידם ובני עמון
משמעתם 15 והחרים יהוה את לשון ים מצרים והניף ידיו על הנהר בעיים רוח והכהו
.שבעת נחלים והדרי. .נעלים 16 והייתה מסלה לשאר עמו אשר ישאר מאשור כאשר
הייתה לישראל ביום עלות. מארץ מצרים

xii 1 ואמרתה ביום ההוא א.דה יהוה כי אנפתה בי ישב אפכה ותנחמני 2 הנה אל אל ישועתי
ה
אבטח ולוא אפחד כיא עוזי וזמרתי יהוה היהא לי לישועה 3 ושאבתמה מים בששון ממעיני
הישועה 4 ואמרתה ביום ההוא אודו ליהוה קראו בשמו הודיעו בעמים עלילותיו הזכירו
ש יושבת
כי נגב שמו 5 זמרו ליהוה כי גאות עשה מידעות זואת בכול הארץ 6 צהלי ורני בת ציון
כיא גדול בקרבך קדוש ישראל

xiii 1 משא בבל אשר חזה ישעיה בן אמוץ 2 על הר נשפה שאו נס הרימו קול להם הניפו יד
יבוא פתחי נדיבים 3 אני צויתי למקדשי גם קראתי גבורי לאפי עליזי .אותי 4 קול המון
בהרים דמות עם רב קול שאון ממלכות גואים נספים יהוה צבאות מפקד צבא מלחמה
5 באים מארץ מרחק מקצה השמים יהוה וכלי זעמו לחבל כל הארץ 6 הילילו כי קרוב יום
יהוה כשד משדי יבוא 7 על כן כול ידי. . . . . . . וכל לבב אנוש ימס 8 ונבהלו צירים
וחבלים יאחזון כיולדה יחילון איש אל רעהו יתמהו ופני להבים פניהם 9 הנה יום
יהוה בא אגזרי ועברה וחרון אף לשום ארץ לשמה וחטאים ישמיד ממנה
10 כי כוכבי השמים וכסיליהם לוא יאירו אורם חשך השמש בצאתו וירח לוא יגיה . . . .
11 ופקדתי על תבל רעה ועל רשעים עוונם והשבתי גאון זדים וגאות עריצים אשפיל 12 אוקר
אנוש מפז ואדם מכתם אופיר 13 .ל כן שמים ארגיז ותרעש הארץ ממקומה בעברת יהוה
צבאות וביום חרון אפו 14 והיו .צבי מדח וכצאון ואין מקבץ איש אל עמו יפנו ואיש
אל ארצו ינוסו 15 כול הנמצא י. .ר וכול הנספה יפול בחרב 16 ועוליהמה ירוטשו לעיניהם
וישסו בתיהם ונשי.מה . . . .נה
17 הנני מעיר עליהם את מ.י .ש. כסף לוא יחשוב וזהב לוא יחפצו בו 18 וקשתות נערים
תרטשנה ועל פרי בטן לוא ירחמו ועל בנים לוא תחוס עינם 19 והיתה בבל צבי ממלכת
תפראת גאון כשדיים כמ. . .ת אלוהים את סודם ואת עומרה 20 לוא תשב לנצח ולוא
ו
תשכון עד דור ודור .לוא יה. שמה ערבי ורועים לוא ירבצו שם 21 ורבצו שם ציים
'
ומלאו בתיהם אחים ושכנו .מה בנות יענה ושעירים ירקדו שם 22 וענה אם באלמנותו
ותנים בהיכלי ענוגו קרוב לבוא עתה וימיה לוא ימשכו עוד 1 כי ירחם יהוה את יעקוב xiv

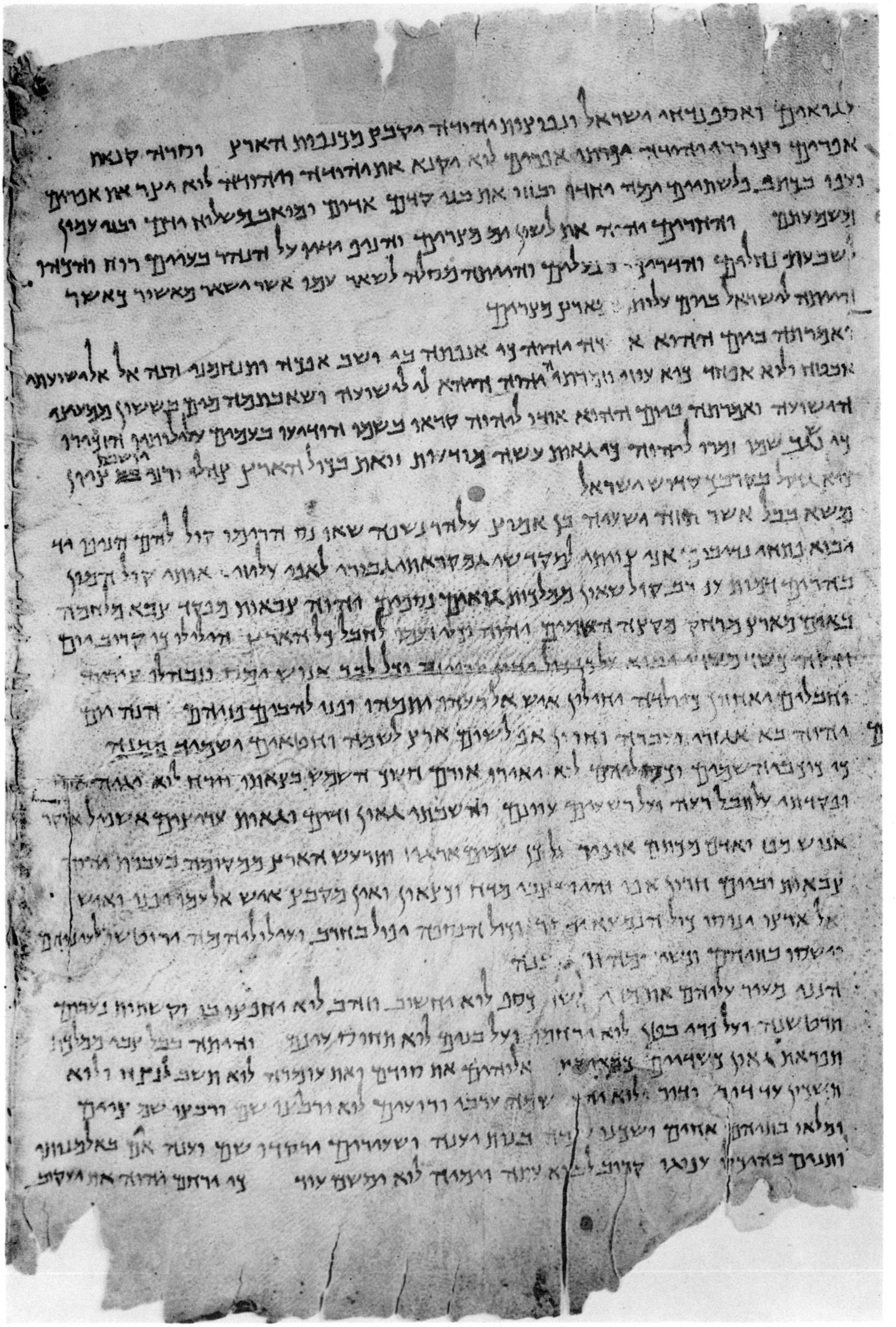

PLATE XI

משא בבל אשר חזה ישעיהו בן אמוץ

PLATE XII

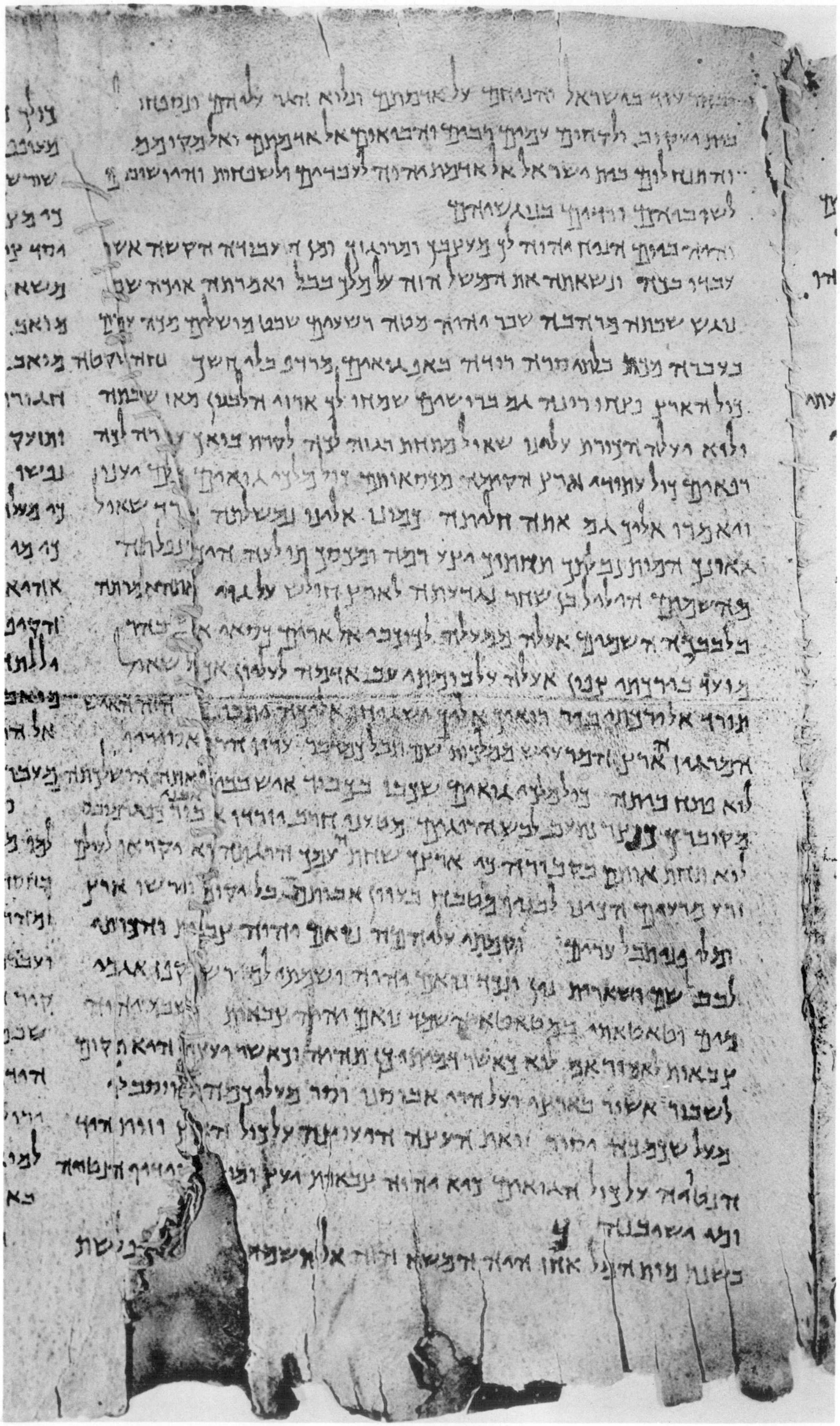

ובחר עוד בישראל והניחם על אדמתם ונלוא הגר עליהם ונספחו ..

בית יעקוב 2 ולקחום עמים רבים והביאום אל אדמתם ואל מקומם

והתנחלום בית ישראל אל אדמת יהוה לעבדים ולשפחות והיו שובים

לשוביהם ורדים בנוגשיהם

5 3 והיה ביום הניח יהוה לך מעצבך ומרוגזך ומן העבודה הקשה אשר

עבדו בכה 4 ונשאתה את המשל הזה על מלך ב־ל ואמרתה איכה שב

נוגש שבתה מרהבה 5 שבר יהוה מטה רשעים שבט מושלים 6 מכה עמים

בעברה מכת בלתי סרה רודה באף גואים מרדף בלי חשך 7 נחה שקטה

כול הארץ פצחו רינה 8 גם ברושים שמחו לך ארזי הלבנון מאז שבתה

10 ולוא יעלה הכורת עלינו 9 שאול מתחת רגזה לכה לקרת בואך עורה לכה

רפאים כול עתודי ארץ הקימה מכסאותם כול מלכי גואים 10 כלם יענו

ויאמרו אליך גם אתה חליתה כמונו אלינו נמשלתה 11 .. .רד שאול

גאונך המית נבלתך תחתיך יצע רמה ומכסך תולעה 12 היך נפלתה

מהשמיש היליל בן שחר נגדעתה לארץ חולש על גוי 13 אתה אמרתה

15 בלבבכה השמים אעלה ממעלה לכוכבי אל ארים כסאי א.. . בהר

מועד בירכתי צפון 14 אעלה על במתי עב אדמה לעליון 15 אך .ל שאול

תורד אל ירכתי בור 16 רואיך אליך ישגיחו אליכה יתבו.. .   הזה האיש
ה
המרגיז ארץ המרעיש ממלכות 17 שם תבל כמדבר עריו הר. אסיריו

לוא פתח ביתה 18 כול מלכי גואים שכבו בכבוד איש בבי.. 19 ואתה הושלכתה
אבני
20 מקוברך כנצר נתעב לבש הרוגים מטעני חרב יורדי א .   בור כפגר מובס
ה
20 לוא תחת אותם בקבורה כי ארצך שחת עמך הרגתה .וא יקראו לעולם

זרע מרעים 21 הכינו לבניו מטבח בעוון אבותם בל יקומ. וירשו ארץ

ומלו פני תבל ערים 22 וקמתי עליהמה נואם יהוה צב.ות והכרתי

לבב שם ושארית נין ונכד נואם יהוה 23 ושמתי למורש קפז אגמי

25 מים וטאטאתי במטאטא השמד נואם יהוה צבאות 24 .שבע יהוה

צבאות לאמור אם לוא כאשר דמיתי כן תהיה וכאשר יעצ. . היא תקום

25 לשבור אשור בארצי ועל הרי אבוסנו וסר מעליכמה .. .ו וסבלו

מעל שכמכה יסור 26 זואת העצה היעוצה על כול ה. .ץ וזות היד
ו
הנטיה על כול הגואים 27 כיא יהוה צבאות יעץ ומי]   [וידיו הנטויה

30 ומי ישיבנה
ך
28 בשנת מות המל אחז היה המשא הזה 29 אל תשמח]   [פלשת

כולך כי נשבר שבט מככה כי משורש נחש יצא צפע ופריו שרף
מעופף 30 ורעו בכורי דלים ואביונים לבטח ירבצו והמתי ברעב
שורשך ושאריתך אהרוג 31 הילילי שער זעקי עיר נמוג פלשת כולך
כי מצפון עשן בא ואין מודד במודעיו 32 ומה יענו מלכי גוי כי יהוה
יסד ציון ובו יחסו עניי עמו
xv 1 משא מואב כי בלילה שודד עיר מואב ונדמה כי בלילה שודד עיר
מואב נדמה 2 עלה הבית ודיבון הבאמות לבכי על נבו ועל מידבה
מואב יליל בכול ראושו קרחה וכל זקן גרועה 3 בחוצותיה
חגורו שק על גגותיה וברחובתיה כלה יהיליל וירד בבכי
4 ותזעק חשבון ואלעלה עד יהץ נשמע קולם על כן חלצי מואב יר.ו
נפשו ירע לו 5 לבי למואב יזעק ברחוה עד צעור עגלת שלישיה
כי מעלה הלוחות בבכי יעלה בו כי דרך חורונים זעקת שברי .ערו
6 כי מי נמרים משמות יהיו כי יבש חציר כלה דשא ירוק לוא
אהיא 7 על כן יתרה עשה ופקדתם על נחל ערבי תישאום 8 כי
הקיפה הזעקה את גבול מואב עד אגלים יללתה ובאר אילים
יללתה 9 כי מי דיבון מלאו דם כי אשית על דיבון נוספת לפליטת
xvi מואב אריה לשארית אדמה 1 שלחו כרמשל ארץ מסלה מדברה
אל הר בת ציון 2 והיא כעוף נודד קן משלח תהינה בנות מואב
מעברת לארנון 3 הביו עצה עשו פלילה שיתי כליל צלך בתוך צהרים
סתרי נדחים נודד אל תגלי 4 יגורו בך נדחי מואב הוי סתר
למו מפני שודד כי אפס המוץ כלה שד תם רומס מן הארץ 5 והוכן
בחסד כסא וישב עליו באמת באוהול דויד שופט ודורש משפט
ומהר צדק 6 שמענו גאון מואב גאה מואד גאתו וגאונו
ועברתו לכן בדיו 7 ולכן לוא ייליל מואב למואב כלה ייליל לאשי.י
קיר חרשת תהגו אך נכאים 8 כי שדמות חשבון אמללה גפן
שבמה 9 ארזיך דמעתי חשבון ואלעלה כיא על קיצך ועל קציר.
הידד נפל 10 ונאסף שמחה וגיל מן הכרמל ובכרמים לוא ירננו ולוא
ירועע יין ביקבים לוא ידרוך הדורך הידד השבתי 11 על כן מעי
למואב ככנור יהמו וקרבי לקיר חרש 12 יהיה כי נראה כי
בא מואב על הבמה ובא אל מקדשו להתפלל ולוא י.כל
13 זה הדבר אשר דבר יהוה אל מואב מאז 14 ועתה דבר י.וה

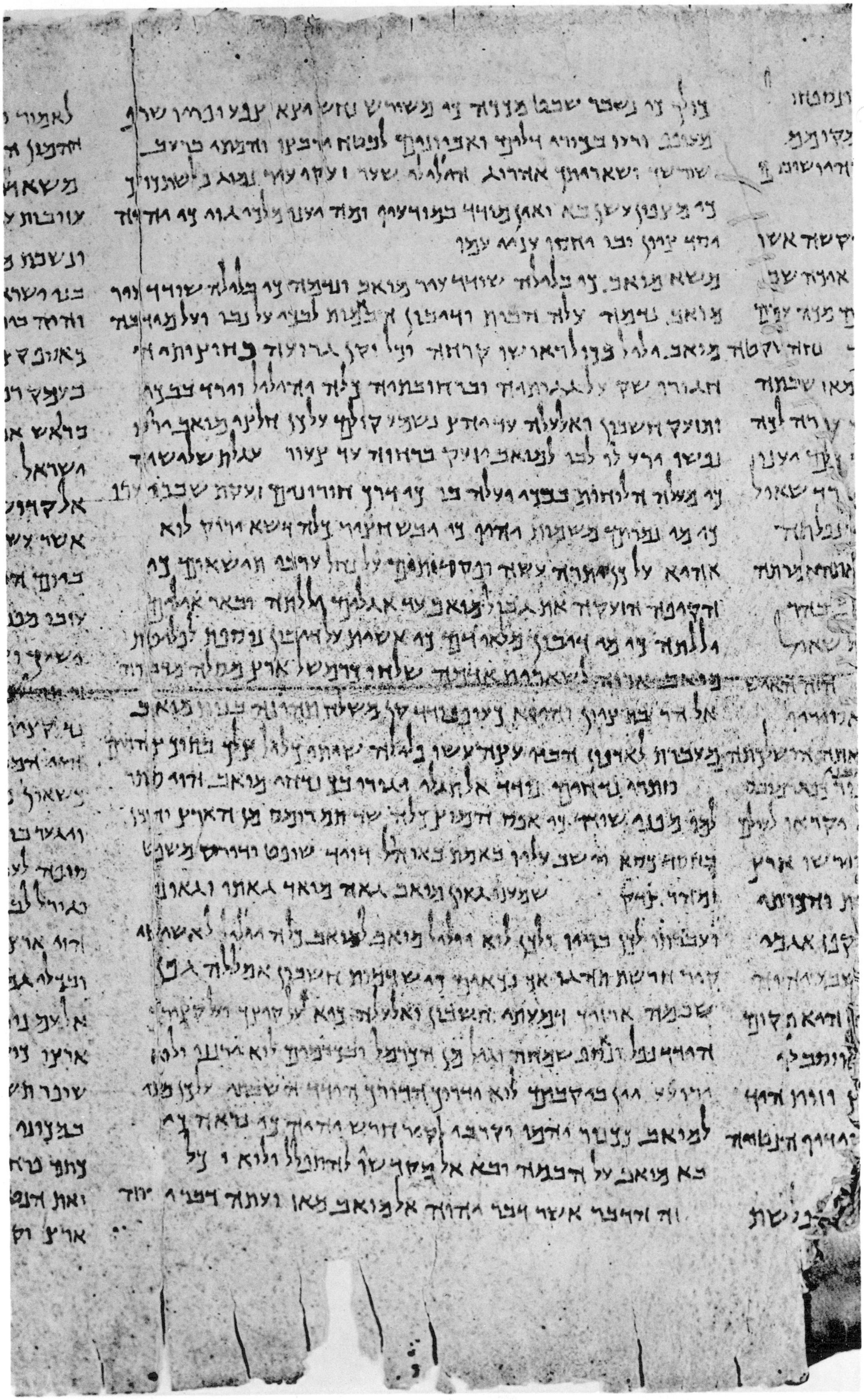

PLATE XIII

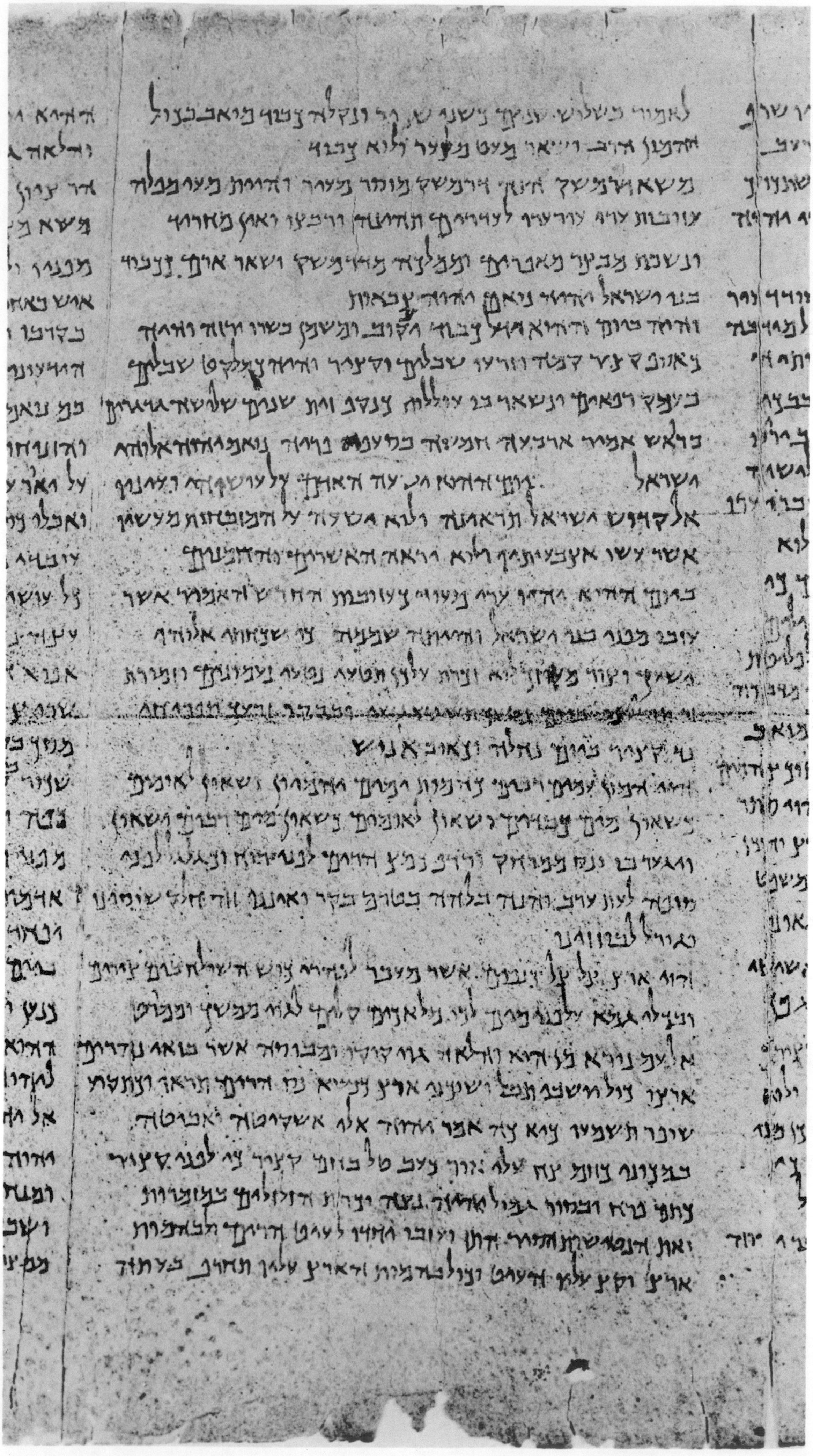

PLATE XIV

לאמור בשלוש שנים כשני ש.יר ונקלה כבוד מואב בכול
ההמון הרב ושאר מעט מצער ולוא כבוד
xvii 1 משא דרמשק הנה דרמשק מוסר מעיר והיית מעי מפלה
2 עזובות ערי עורערו לעדרים תהינה ורבצו ואין מחריד
3 ונשבת מבצר מאפרים וממלכה מדרמשק ושאר ארם ככבוד
בני ישראל יהיה נואם יהוה צבאות
4 והיה ביום ההוא ידל כבוד יקוב ומשמן בשרו ירזה 5 והיה
כאסף קציר קמה וזרעו שבלים יקצור והיה כמלקט שבלים
בעמק רפאים 6 ונשאר בו עוללות כנקף זית שנים שלושה גרגרים
בראש אמיר ארבעה חמשה בסעפי פריה נואם יהוה אלוהי
ישראל 7 .יום ההוא ישעה האדם על עושיהו ועיניו
אל קדוש ישראל תראינה 8 ולוא ישעה על המזבחות מעשיו
אשר עשו אצבעותיו ולוא יראה האשרים והחמנים
9 ביום ההוא יהיו ערי מעוזו כעזובות החרש האמיר אשר
עזבו מפני בני ישראל והייתה שממה 10 כי שכחתי אלוהי
ישעך וצור מעוזך לוא זכרת על כן תטעי נטעי נעמונים וזמורת
זר ת. . .נ. 11 ביום נטעך תשגשגי ובבקר זרעך תפריחי
נד קציר ביום נחלה וכאיב אנוש
12 הוי המון עמים רבים כהמות ימים יהמיון ושאון לאומים
כשאון מים כבדים ישאון 13 לאומים כשאון מים רבים ישאון
ויגער בו ונס ממרחק ורדף כמץ הרים לפני רוח וכגלגל לפני
סופה 14 לעת ערב והנה בלהה בטרם בקר ואיננו זה חלק שוסינו
וגורל לבוזזינו
xviii 1 הוי ארץ צל צל כנפים אשר מעבר לנהרי כוש 2 השולח בים צירים
ובכלי גמא על פני מים לכו מלאכים קלים לגוי ממשך וממרט
אל עם נורא מן הוא והלאה גוי קוקו ומבוסה אשר בזאו נהרים
ארצו 3 כול יושבי תבל ושוכני ארץ כנשא נס הרים תראו וכתקוע
שופר תשמעו 4 כיא כה אמר יהוה אלי אשקוטה ואביטה
במכוני כחם צח עלי אור כעב טל בחם קציר 5 כי לפני קציר
כתם פרח ובסור גמול יהיה נצה וכרת הזלזלים במזמרות
ואת הנטישות הסיר התז 6 יעזבו יחדו לעיט הרים ולבהמות
ארץ וקץ עליו העיט וכול בהמות הארץ עליו תחרף 7 בעתה

ההיא יובל שי ליהוה צבאות מעם ממשך וממרט ומעם נורא מה.א
והלאה גוי קוקו ומבוסא אשר בזאו נהרים ארצו אל מקום שם יהוה
הר ציון
xix 1 משא מצרים הנה יהוה רוכב על עב קל ובא מצרים ונעו אלילי מצרים
מפניו ולבב מצרים ימס ברבו 2 וססכתי מצרים במצרים ונלחמו
איש באחיו ואיש ברעהו ועיר בעיר ממלכה בממלכה 3 ונבקה רוח מצרים
בקרבו ועצתו אבלע ודרשו אל אלילים ואל האטים ואל האבות ואל
הידעונים 4 וסכרתי את מצרים ביד אדונים קשה ומלך עז ימשל
בם נואם האדון יהוה צבאות 5 ונשתו מים מהים ונהר יחרוב ויבש
6 והזניחו הנהרות ודללו וחבו יאורי מצור קנה וסוף וקמלו 7 ערות
על יאר על פי יאור וכול מזרע יאור יבש ונדף ואין בו 8 ואנו הדגים
ואבלו כול משליכי ביאור חכה ופרשי מכמרת על פני מים אמללו 9 ובושו
עובדי פשתים שריקות ואורגים חורו 10 והיו שותתיה מדכאים
כל עושי שכר אגמי נפש 11 אך אולים שרי צען חכמיה יועצי פרעוה
עצה נבערה איך תאמרו אל פרעה בן חמים אני בן מלכי קדם 12 אים
אפוא חכמיך ויגידונא לך וידעו מה יעץ יהוה על מצרים 13 נאולו
שרי צען נשאו שרי נף התעו את מצרים פנת שבטיה 14 יהוה
מסך בקרבה רוח עועיים והתעו את מצרים בכול מעשהו כהתעות
שכור קיאו 15 ולוא יהיה למצרים מעשה אשר יעשה ראוש וזנב
כפה ואגמן 16 ביום הוא יהיה מצרים כנשים וחרדו ופחדו
מפני תנופת יד יהוה צבאות אשר הוא מניף ידו עליה 17 והייו
אדמת יהודה למצרים לחוגה כול אשר יזכיר אותה אליו
יפחד מפני עצת יהוה צבאות אשר הוא יועץ עליו
18 ביום הה[ ] יהיו חמש ערים בארץ מצרים מדברות שפת
כנען ונשבעות ליהוה צבאות עיר ההרס יאמר לאחת 19 ביום
ההוא יהיה מזבח ליהוה בתוך ארץ מצרים ומצבה אצל גבולה
ליהוה 20 והייה לאות ולעד ליהוה צבאות בארץ מצרים כי יצעקו
אל יהוה מפני לוחצים ושלח להם מושיע וירד והצילם 21 ונודע
יהוה למצרים וידעו מצרים את יהוה ביום ההוא ועבדו זבח
ומנחה ונדרו נדר ליהוה ושלמו 22 ונגף יהוה את מצרים נגף ונרפו
ושבו עד יהוה ונעתר להם ורפאם 23 ביום ההוא תהיה מסלה
ממצרים אשורה ובא אשור במצרים ומצרים באשור ועבדו

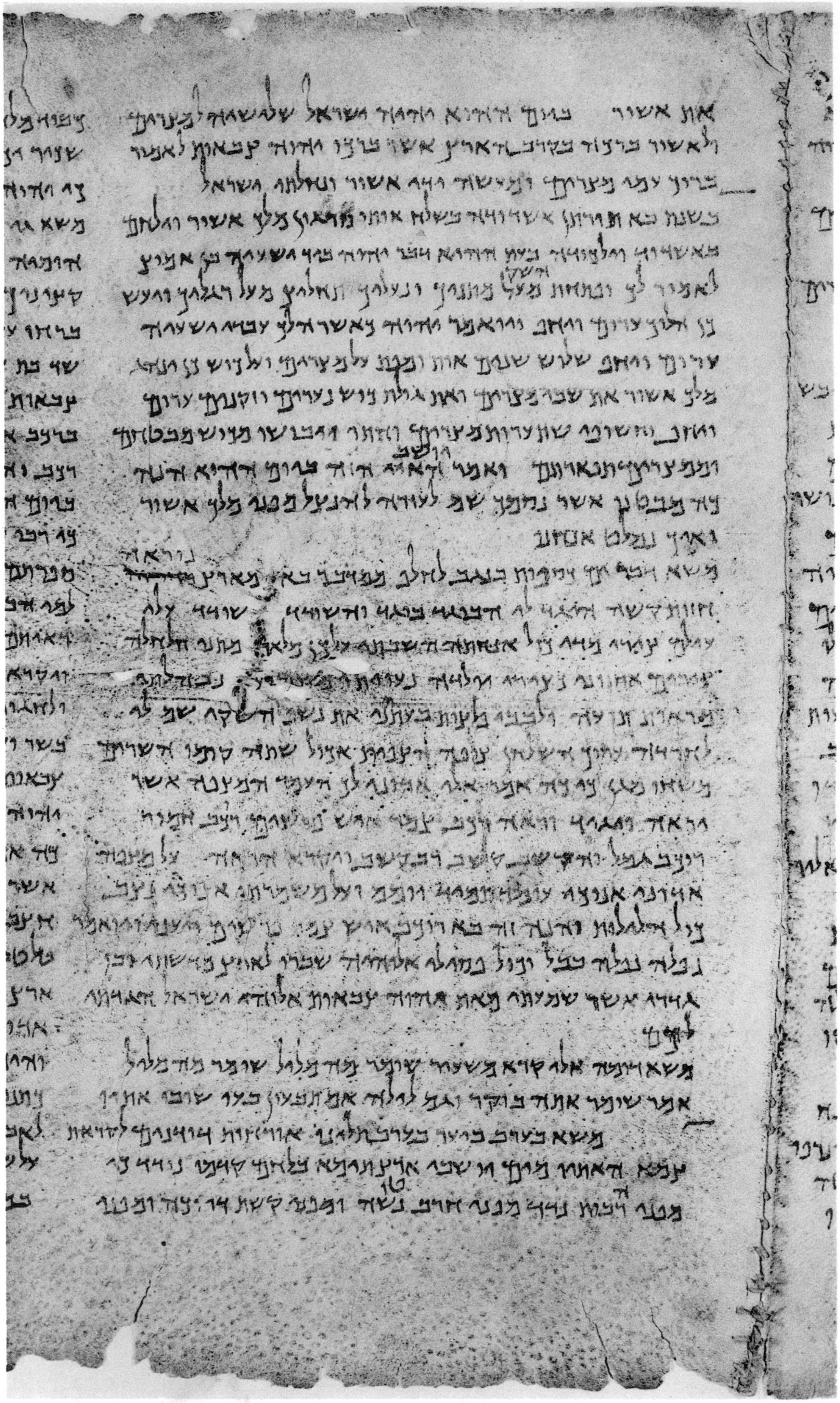

PLATE XVI

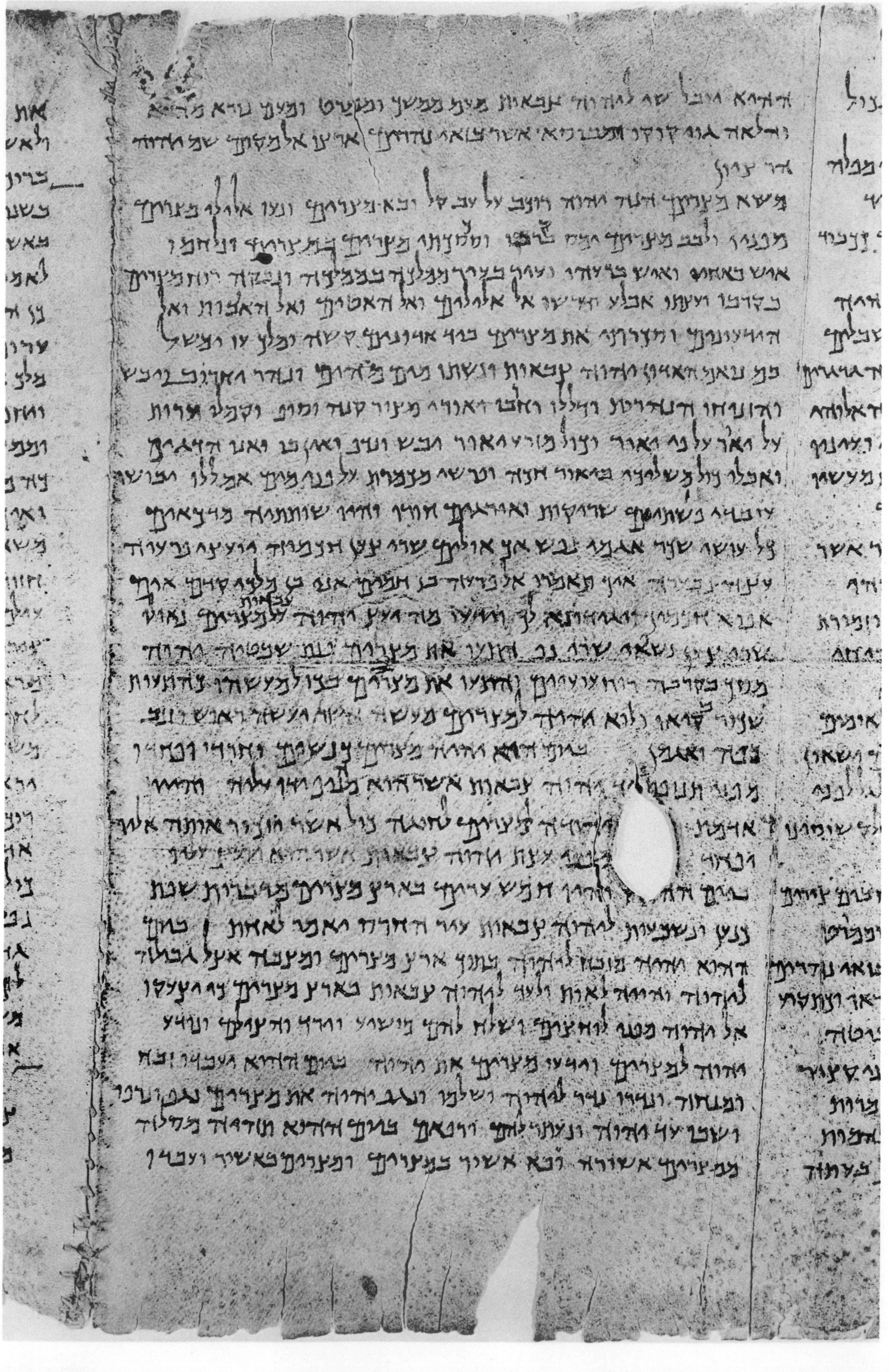

PLATE XV

תחת הבשם מק ותחות הגורה נק[   ]ה ותחות מ[ו   ]ה מקשה

קרחה ותחת פתיגיל מחגרת שק כי תחת יפי בשת 25 מתיך בחרב יפולו

וגבוריך במלחמה 26 ואנו ואבלו פתחיה ונקתה לארץ תשב

iv 1 והזיקה שבע נשים באיש אחד ביום ההוא לאמור לחמנו נאכל ושלמתנו

5 נלבש רק יקרא שמך עלינו אסף חרפתנו 2 ביום ההוא יהיה צמח יהוה

לצבי ולכבוד ופרי הארץ לגאון ולתפארת לפליטת ישראל ויהודה

3 ויהיה הנשאר בציון והנותר בירושלם קדוש יאמר לו כול הכתוב

לחיים בירושלם 4 אם רחץ אדוני את צאת בנות ציון ואת דמי

ירושלם ידיח מקרבה ברוח משמט וברוח סער 5 ויברא יהוה על

10 כול מכון הר ציון ועל מקראה ענן יומם 6 מחרב ולמחסה ולמסתור

מזרם וממטר

v 1 אשירה לידידי שירת דודי לכרמו כרם היהא לידידי בקרן בן שמן

2 ויעזקהו ויסקולהו ויטעהו שורק ויבנא מגדל בתוכו וגם יקב חצב

בו ויקו לעשות ענבים ויעשה באושים 3 ועתה יושבי ירושלם

15 ואיש יהודה שפוטונה ביני ובין כרמי 4 מה לעשות עוד בכרמי ולוא

עשיתי בו מדוע קויתי לעשות ענבים וישה באושים 5 ואתה אודיע נא

אתכמה את אשר אני עושא לכרמי אסיר משוכתו ויהיה בער פרץ גדרו

ויהיה למרמס 6 ואשיתחו בתה ולוא יזמר ולוא יעדר ועלה שמיר ושית

ועל העבים אצוה מהמטיר עליו מטר 7 כי כרם יהוה צבאות בית ישראל

20 ואיש יהודה נטע שעשועו ויקו למשפט והנה למשפח לצדקה והנה

צעקה

8 הוי מגיצי בית בית שדה בשדה יקריבו עד אפס מקום וישתם בדכם

בקרב הארץ 9 באזני יהוה צבאות אם לוא בתים רבים לשמה יהיו

גדולים וטובים מאין יושב 10 כי עשרת צמדי כרם יעשו בת אחד

25 וזר[   ]שה איפה[

11 [   ] בקר שכר ירדופו מאחזי בנשף יין ידליקם 12 והיה

[   ]ין משתיהם ואת פעלת יהוה לוא הביטו ומעשה

13 [   ] עמי מבלי דעת וכבודו מתי רעב והמונו

14 [   ]רחיבה שאול נפשה ופערה פיה לבלי חוק וירד

הדרה והמונה ושאונה וע[ ] בה 15 ישח אדם וישפל איש ועיני
גבהים תשפלנה 16 ויגבה יהוה צבאות במשפט והאל הקדוש נקדש
בצדקה 17 ורעו כבושים כדברם וחרבות מיחים גרים יאכלו
18 הוי משכי עוון בחבלי השו וכעבות העגלה חטאה 19 האומרים ימהר
יחיש מעשהו למען נראה ותקרבה ותבואה עצת קדוש ישראל
ונדע 20 הוי האומרים לרע טוב לטוב רע שמים חושך לאור
ואור לחושך שמים מר למתוק ומתוק למר 21 הוי חכמים ביניהם
ונגד פניהם נבונים 22 הוי גבורים לשתות יין ואנשי חיל למסך
שכר 23 מצדיקי רשע עקב שחוד וצדקת צדיקים יסירו ממנו 24 לכן
כאכל קש לשון אש ואש לוהבת ירפה שרשם כמק יהיה ופרחם
כאבק יעלה כיא מאסו את תורת יהוה צבאות ואת אמרת קדוש
ישראל נאצו 25 על כן חרה אף יהוה בעמו ויט ידיו עליו ויכהו
וירגזו ההרים ותהיה נבלתם כסוחה בקרב חוצות בכול זאות
לוא שב אפו ועוד ידיו נטויה 26 ונשא נס לגואים מרחוק ושרק
לוא מקצה הארץ והנה מהרה קל יבוא 27 אין יעף ואין כושל ולוא
ינום ולוא יישן ולוא נפתחה אזור חלציו ולוא נתק שרוך נעליו 28 אשר
חציו שנונים וכול קשתותיו דרוכות פרסות סוסיו כצור נחשבו
וגלגליו כסופה 29 שאגה לו כלביא ושאג וככפירים ינהם ויזח
טרף ויפליט ואין מציל 30 ינהם עליו ביום ההוא כנהמת ים ונבט
לארץ והנה חושך צר ואור חשך בעריפיה
vi 1 בשנת מות המלך עוזיה אראה את אדוני יושב על כסא רם ונשא
ושוליו מלאים את ההיכל 2 שרפים עומדים ממעלה לו שש כנפים
אחד בשתים יכסה פניו ובשתים יכסה רגליו ובשתים יעופף
3 וקראים זה אל זה קדוש קדוש יהוה צבאות מלא כול הארץ כבודו
4 וינועו אמות הספים מקול הקורה והבית נמלא עשן 5 ואמר
אילי כי נדמיתי כיא איש טמה שפתים אנוכי ובתוך עם טמא
שפתים אנוכי יושב . .א את המלך יהוה צבאות ראו עיני
6 ויעוף אלי אחד מן השרפים ובידו רצפה במלקחים לקח
]ל המ[7]יואמר הנה נגע זה על שפתיך וסר

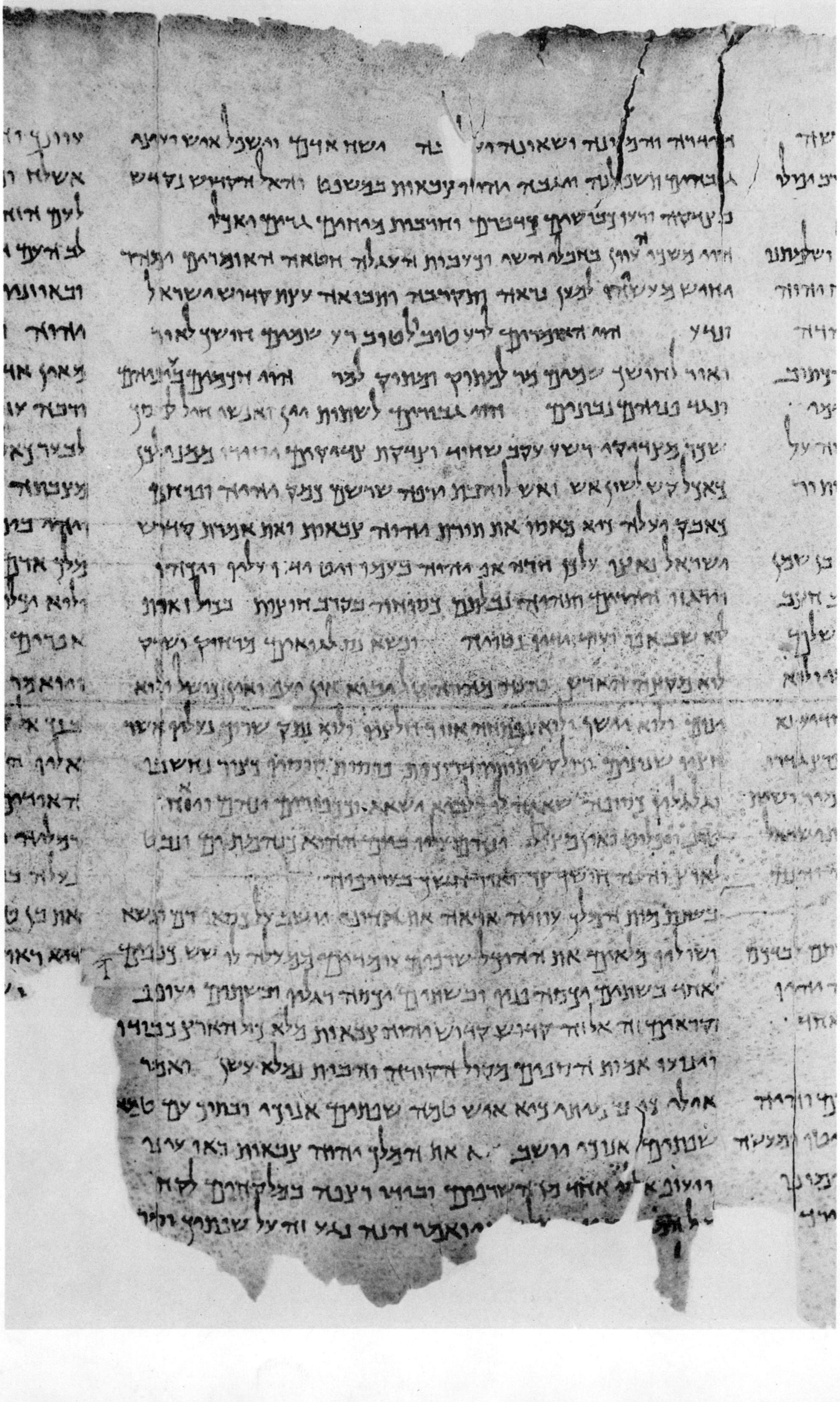

PLATE V

PLATE VI

ומצפצף 15 היתפאר הגרזן על החוצב בו אם יתגדל המשור על מניפיו כהניף
שבט את מרימיו כהרים מטה לוא עץ
16 לכן ישלח האדון יהוה צבאות במשמניו רזון ותחת כבודו יקד יקוד כיקד אש
17 והיה אור ישראל לאש וקדושו ללהבה ובערה ואכלה .י.יו ושמירו ביום אחד
18 וכבוד יערו וכרמלו מנפש ועד בשר יכלה והיה כמסס נסס 19 ושאר עץ יערו מספר
יהיו ונער יכתבם
20 והיה ביום ההוא לוא יוסיף עוד שאר ישראל ופליטת בית יעקוב להשען על מכהו
ונשען אל יהוה קדוש ישראל באמת 21 שאר ישוב שאר יעקוב אל אל גבור 22 כיא אם
יהיה עמך ישראל כחול הים שאר ישוב בו כליון חרוץ שוטף צדקה 23 כי כלה ונחרצה
אדוני יהוה צבאות עושה בקרב כול הארץ
24 לכן כוה אמר אדוני יהוה צבאות אל תירא עמי יושב ציון מאשור משבט יככה ומטו
ישא עליך בדרך מ.רים 25 כי עוד מעט מזער וכלה זעם ואפי על תבליתם 26 ויעיר עליו
יהוה צבאות שוט כמכת מדין בצור עורב ומטהו על הים ונשאו בדרך מצרים
27 והיה ביום ההוא יסור סבלו מעל שכמך ו.לו מעל צוארך וחבל עול מפני שמן
28 בא על עיה עבר במגרון למכמש יפקיד כליו 29 עבר במעברה גבע מלון לנו חרדה הרמה
גבעת שאול נסה 30 צהלי קולך בת גלים הקשיבי ליש עניה ענתות 31 נדדה מ.מנה
יושבי ג[ה]בים העיזו 32 עוד היום בנב לעמוד ינוף ידיו הר בת ציון גבעת ירושלים
33 הנה האדון יהוה צבאות מסעף פארה במערצה ורמי [ה]קומה גדועים והגבהים
ישפלו 34 ונקף סב.י היער בברזל והלבנון באדיר יפול
xi 1 ויצא חטר מגז. ישי ונצר משורשיו יפרה 2 ונחה .ליו רוח יהוה רוח חכמה ובינה
רוח עצה וגבו.ה רוח דעת ויראת יהוה 3 והריחו ביראת יהוה ולא למראה עניו
ישפוט ולוא למשמע אוזנו יוכיח 4 ושפט בצדק דלים והוכיח במישור לענוי הארץ והכה
הארץ בש[ב]ט פיו יָוְמָתְ רָשָׁעָ וברוח שפתיו יומת רשע 5 והיה צדק אזור מתניו ואמונה
אזור חלציו 6 וגר .אב עם כבש ונמר עם גדי ירבץ ועגל וכפיר ומרי יחדו ונער קטן נהג
במה 7 ופרה ודב תרעינה יחדו ירבצו ילדיהן ואריה כבקר יאכל תבן 8 וישעשע יונק
על חור פתן ועל מאורות צפעונים גמול ידו הדה 9 לוא ירעו ולוא ישחיתו בהר קדשי
כי תמלאה הארץ דעה את יהוה כמים לים מכסים
10 והיה ביום ההוא שרש ישי אשר עמד לנס עמים אליו גואים ידרושו והיא מנוחתו
כבוד 11 והיה ביום ההוא יוסיף אדוני שנית ידו לקנות [את] שאר עמו אשר ישאר
מאשור וממצרים ומפתרוס ומכוש ומעילם ומשנער ומחמת ומאיי הים 12 ונשה נס

לגואים ואסף נדחי ישראל ונפוצות יהודה יקבץ מכנפות הארץ 13 וסרה קנאת

אפרים וצוררי יהודה יכרתו אפרים לוא יקנא את יהודה ויהודה לוא יצר את אפרים

14 ועפו בכתף פלשתיים ימה יחדו יבזוו את בני קדם אדום ומואב משלוח ידם ובני עמון

משמעתם 15 והחרים יהוה את לשון ים מצרים והניף ידיו על הנהר בעיים רוח והכהו

5   שבעת נחלים והדרי.   נעלים 16 והייתה מסלה לשאר עמו אשר ישאר מאשור כאשר

היתה לישראל ביום עלות. מארץ מצרים

xii   1 ואמרתה ביום ההוא א.דה יהוה כי אנפתה בי ישב אפכה ותנחמני 2 הנה אל אל ישועתי

אבטח ולוא אפחד כיא עוזי וזמרתי הׄ יהוה היהא לי לישועה 3 ושאבתמה מים בששון ממעיני

הישועה 4 ואמרתה ביום ההוא אודו ליהוה קראו בשמו הודיעו בעמים עלילותיו הזכירו

10   כי נׄגֿב שמו 5 זמרו ליהוה כי גאות עשה מידעות זואת בכול הארץ 6 צהלי ורני בת ציון (יושבת)

כיא גדול בקרבך קדוש ישראל

xiii   1 משא בבל אשר חזה ישעיה בן אמוץ 2 על הר נשפה שאו נס הרימו קול להם הניפו יד

יבוא פתחי נדיבים 3 אני צויתי למקדשי גם קראתי גבורי לאפי עליזי.   אותי 4 קול המון

בהרים דמות עם רב קול שאון ממלכות גואים נספים יהוה צבאות מפקד צבא מלחמה

15   5 באים מארץ מרחק מקצה השמים יהוה וכלי זעמו לחבל כל הארץ 6 הילילו כי קרוב יום

יהוה כשד משדי יבוא 7 על כן כול ידי. ...... וכל לבב אנוש ימס 8 ונבהלו צירים

וחבלים יאחזון כיולדה יחילון איש אל רעהו יתמהו ופני להבים פניהם 9 הנה יום

יהוה בא אגזרי ועברה וחרון אף לשום ארץ לשמה וחטאים ישמיד ממנה

10 כי כוכבי השמים וכסיליהם לוא יאירו אורם חשך השמש בצאתו וירח לוא יגיה ....

20   11 ופקדתי על תבל רעה ועל רשעים עוונם והשבתי גאון זדים וגאות עריצים אשפיל 12 אוקר

אנוש מפז ואדם מכתם אופיר 13 ל. כן שמים ארגיז ותרעש הארץ ממקומה בעברת יהוה

צבאות וביום חרון אפו 14 והיו .צבי מדח וכצאון ואין מקבץ איש אל עמו יפנו ואיש

אל ארצו ינוסו 15 כול הנמצא י. .ר וכול הנספה יפול בחרב 16 ועוליליהמה ירוטשו לעיניהם

וישסו בתיהם ונשי.מה ....נה

25   17 הנני מעיר עליהם את מ.י .ש. כסף לוא יחשוב וזהב לוא יחפצו בו 18 וקשתות נערים

תרטשנה ועל פרי בטן לוא ירחמו ועל בנים לוא תחוס עינם 19 והיתה בבל צבי ממלכת

תפראת גאון כשדיים כמ. .ת. אלוהים את סודם ואת עומרה 20 לוא תשב לנצח ולוא

תשכון עד דור ודור .לוא יה. שמה ערבי ורועים לוא ירבצו שם 21 ורבצו שם ציים

ומלאו בתיהם אחים ושכנו .מה בנות יענה ושעירים ירקדו שם 22 וענה אם באלמנותו

30   xiv   ותנים בהיכלי ענוגו קרוב לבוא עתה וימיה לוא ימשכו עוד 1 כי ירחם יהוה את יעקב

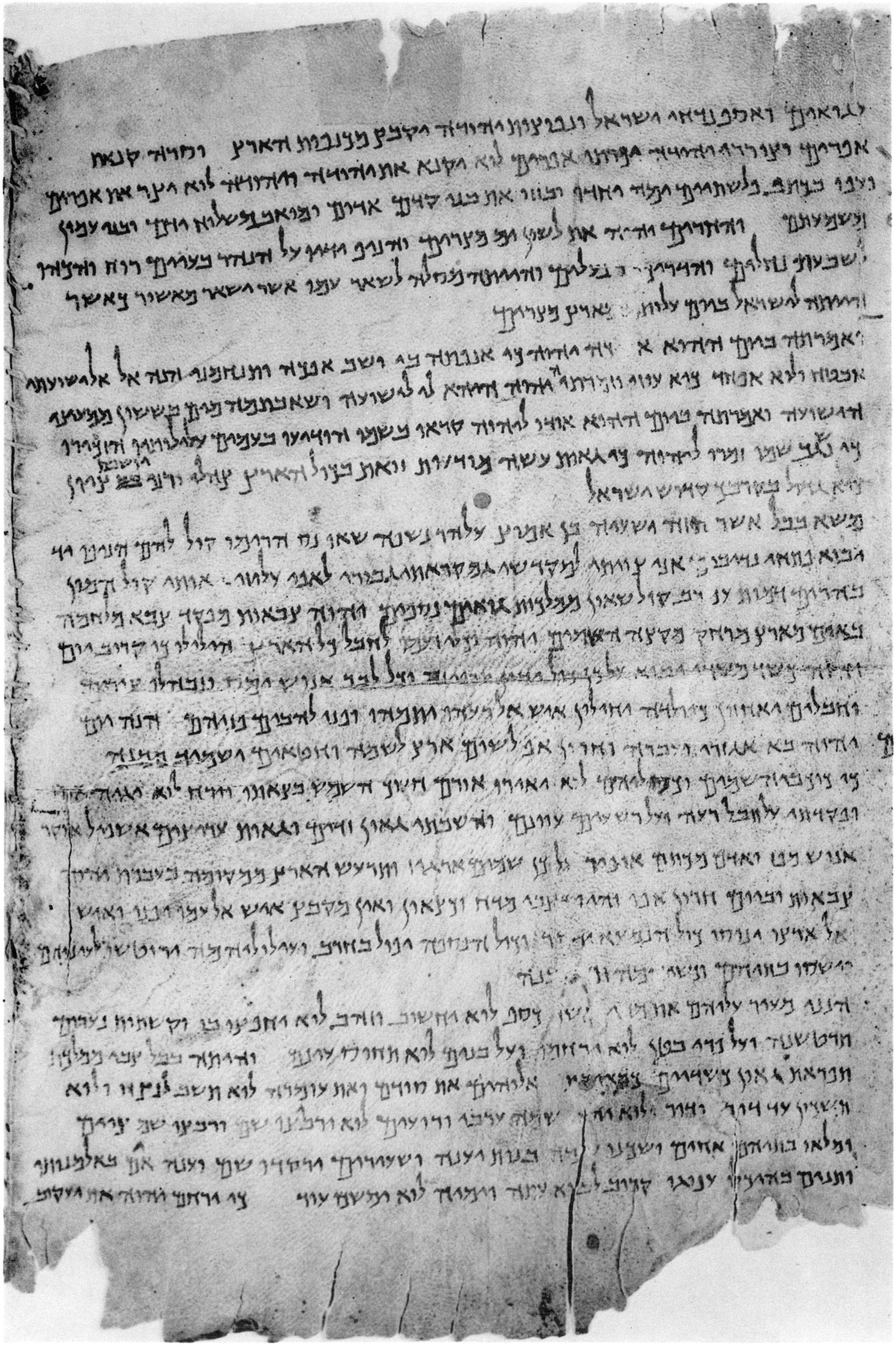

PLATE XI

וקנאת אפרים ומצררי יהודה יכרתו אפרים לוא יקנא את יהודה ויהודה לוא יצר את אפרים
ועפו בכתף פלשתים ימה יחדו יבזו את בני קדם אדום ומואב משלוח ידם ובני עמון
משמעתם והחרים יהוה את לשון ים מצרים והניף ידו על הנהר בעים רוחו והכהו
לשבעה נחלים והדריך בנעלים והיתה מסלה לשאר עמו אשר ישאר מאשור כאשר
היתה לישראל ביום עלתו מארץ מצרים

ואמרתה ביום ההוא אודך יהוה כי אנפתה בי ישב אפך ותנחמני הנה אל ישועתי
אבטח ולוא אפחד כי עזי וזמרת יה יהוה ויהי לי לישועה ושאבתם מים בששון ממעיני
הישועה ואמרתם ביום ההוא הודו ליהוה קראו בשמו הודיעו בעמים עלילותיו הזכירו
כי נשגב שמו זמרו ליהוה כי גאות עשה מודעת זאת בכול הארץ צהלי ורני יושבת
ציון כי גדול בקרבך קדוש ישראל

משא בבל אשר חזה ישעיהו בן אמוץ על הר נשפה שאו נס הרימו קול להם הניפו יד
ויבואו פתחי נדיבים אני צויתי למקדשי גם קראתי גבורי לאפי עליזי גאותי קול המון
בהרים דמות עם רב קול שאון ממלכות גוים נאספים יהוה צבאות מפקד צבא מלחמה
באים מארץ מרחק מקצה השמים יהוה וכלי זעמו לחבל כל הארץ הילילו כי קרוב יום
יהוה כשד משדי יבוא על כן כל ידים תרפינה וכל לבב אנוש ימס ונבהלו צירים
וחבלים יאחזון כיולדה יחילון איש אל רעהו יתמהו פני להבים פניהם הנה יום
יהוה בא אכזרי ועברה וחרון אף לשום הארץ לשמה וחטאיה ישמיד ממנה
כי כוכבי השמים וכסיליהם לוא יהלו אורם חשך השמש בצאתו וירח לוא יגיה אורו
ופקדתי על תבל רעה ועל רשעים עונם והשבתי גאון זדים וגאות עריצים אשפיל
אוקיר אנוש מפז ואדם מכתם אופיר על כן שמים ארגיז ותרעש הארץ ממקומה
בעברת יהוה צבאות וביום חרון אפו והיה כצבי מדח וכצאן ואין מקבץ איש אל עמו
יפנו ואיש אל ארצו ינוסו כל הנמצא ידקר וכל הנספה יפול בחרב ועלליהם ירטשו
לעיניהם ישסו בתיהם ונשיהם תשגלנה הנני מעיר עליהם את מדי אשר כסף לוא יחשבו וזהב לוא יחפצו בו וקשתות נערים תרטשנה
ופרי בטן לוא ירחמו על בנים לוא תחוס עינם והיתה בבל צבי ממלכות
תפארת גאון כשדים כמהפכת אלהים את סדם ואת עמורה לוא תשב לנצח ולוא
תשכון עד דור ודור ולוא יהל שם ערבי ולוא רעים לא ירבצו שם ורבצו שם ציים
ומלאו בתיהם אחים ושכנו שם בנות יענה ושעירים ירקדו שם וענה איים
באלמנותיו ותנים בהיכלי ענג וקרוב לבוא עתה וימיה לוא ימשכו כי ירחם יהוה את יעקב

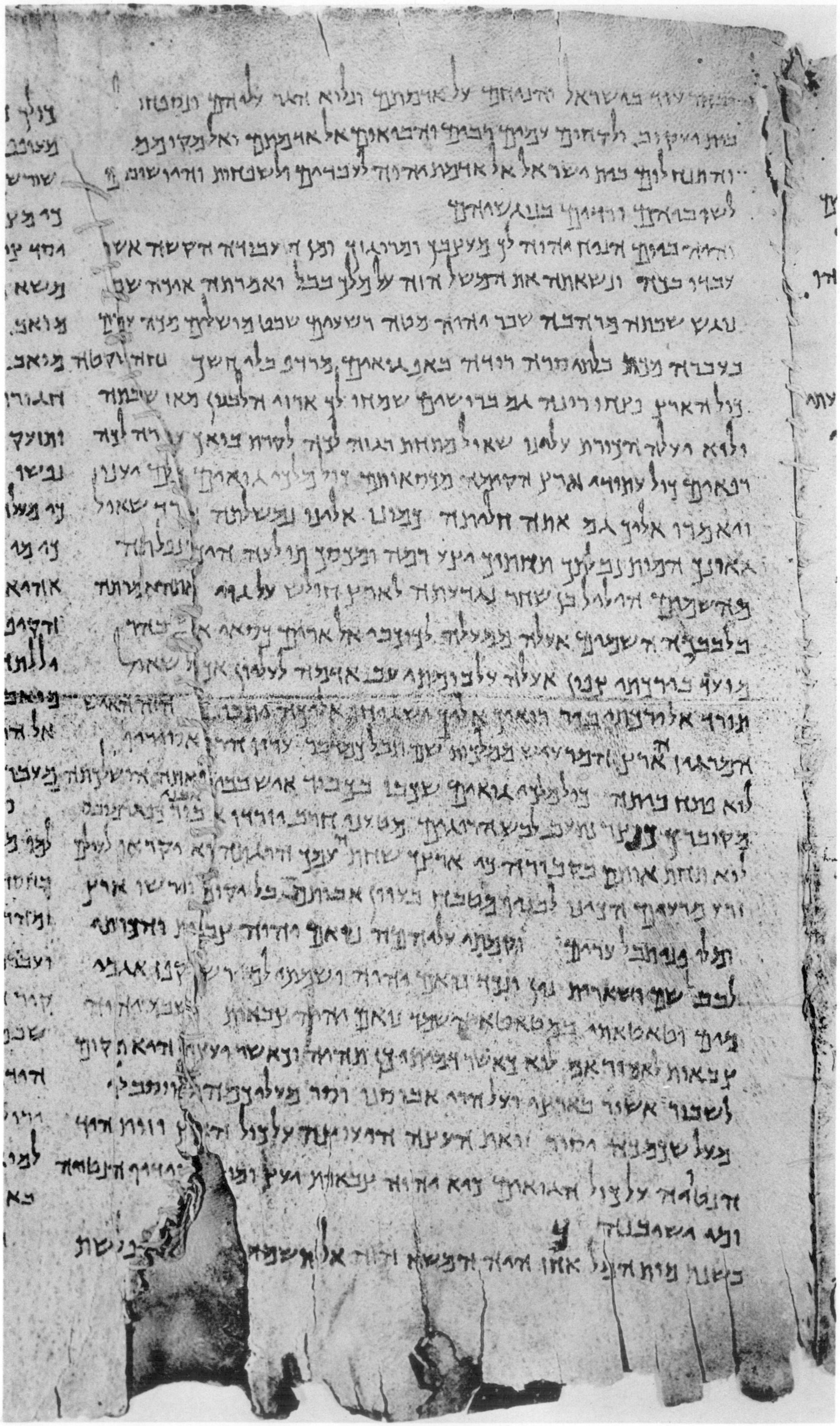

PLATE XII

את אשור 24 ביום ההוא יהיה ישראל שלישיה למצרים
ולאשור ברכה בקרב הארץ 25 אשר ברכו יהוה צבאות לאמור
ברוך עמי מצרים ומעשה ידי אשור ונחלתי ישראל
xx 1 בשנת בא תורתן אשדודה בשלח אותו סרגון מלך אשור וילחם
באשדוד וילכודה 2 בעת ההיא דבר יהוה ביד ישעיה בן אמוץ
השק
לאמור לך ופתחת מעל מתניך ונעליך תחליץ מעל רגליך ויעש
כן הלוך ערום ויחף 3 ויואמר יהוה כאשר הלך עבדי ישעיה
ערום ויחף שלוש שנים אות ומפת על מצרים ועל כוש 4 כן ינהג
מלך אשור את שבי מצרים ואת גולת כוש נערים וזקנים ערום
ויחף וחשופי שת ערות מצרים 5 וחתו ויבושו מכוש מבטחם
יושב
וממצרים תפארתם 6 ואמר האיי הזה ביום ההוא הנה
כה מבטנו אשר נסמך שם לעזרה להנצל מפני מלך אשור
ואיך נמלט אנחנו
נוראה
xxi 1 משא דבר ים כספות בנגב לחלף ממדבר בא מארץ ~~רחוקה~~
2 חזות קשה הוגד לי הבוגד בוגד והשודד שודד עלי
עילם צורי מדי כול אנחתה השבתי 3 על כן מלאו מתני חלחלה
צירים אחזוני כצירי יולדה נעויתי משמוע נבהלתי
ת
מראות 4 תועה ולבבי פלצות בעתני את נשף חשקי שם לי
לחרדה 5 ערוך השלחן צופה הצפית אכול שתה קומו השרים
משחו מגן 6 כי כה אמר אלי אדוני לך העמד המצפה אשר
ו
יראה ויגיד 7 וראה רכב צמד איש פ.שים רכב חמור
רוכב גמל והקשב קשב רב קשב 8 ויקרא הראה על מצפה
אדוני אנוכי עומד תמיד יומם ועל משמרתי אנוכי נצב
כול הלילות 9 והנה זה בא רוכב איש צמד פרשים ויעני ויואמר
נפלה נפלה בבל וכול פסילי אלוהיה שברו לארץ 10 מדשתי ובן
גדרי אשר שמעתי מאת יהוה צבאות אלוהי ישראל הגדתי
לכם
11 משא דומה אלי קרא משעיר שומר מה מליל שומר מה מליל
12 אמר שומר אתה בוקר וגם לילה אם תבעון בעו שובו אתיו
13 משא בערב ביער בערב תלינו אורחות דודנים 14 לקראת
צמא האתיו מים יושבי ארץ תימא בלחם קדמו נודד 15 כי
ה טו
מפני רבות נדד מפני חרב נשה ומפני קשת דרוכה ומפני

כבוד מלחמה 16 כי כה אמ. יהוה אלי בעוד שלוש שנים כשני
בני
שכיר וכלה כבוד קדר 17 ושאר מספר קשת גבורי קדר ימעטו
כי יהוה אלוהי ישראל דבר
xxii 1 משא גי חזיון מלכי אפוא כי עליתי כולך לגגות 2 תשאות מלאה עיר
הומיה קריה עליזה חלליך לוא חללי חרב ולוא מיתי מלחמה 3 כול
קציניך נדדו יחד מקשת אסורה כול נמצאיך אסרו יחדו מרחוק
ברחו 4 על כן אמרתי שועו ממני ואמרר בבכי אל ת.ציו לנחמני על
שד בת עמי 5 כי י.ם מהומה ומבוסה ומבוכה לאדוני יהוה
צבאות בגי חזיון מקרקר קדשו על ההר 6 ועילם נשא אשפא
ברכב אדם פרשים וקיר ערה מגן 7 והיה מבחר עמקיך מלאו
רכב והפרשים שת שתו השערה 8 ויגל את מסך יהודה ותבט
ביום ההוא אל נשק בית היער 9 ואת בקיעי עיר דויד ראית.ה
כי רבו ותקבצו את מי הברכה התחתונה 10 ואת בתי ירוש. .
ספרתם ותתוצו הבתים לבצור החומה 11 ומקוה עשיתם בין החומות
למי הברכה הישנה ולוא הבטתמה על עושיה ויצרה מרחוק לוא
ראיתם
12 ויקרא אדוני יהוה צבאות ביום ההוא לבכי ולמספד ולקרחה
ולחגור שק 13 והנה ששון ושמחה הרג בקר ושחט צאן אכול
בשר ושתות יין אכול ושתו כי מחר נמות 14 ונגלה באוזני יהוה
צבאות אם יכפר לכם העוון הזה לכמה עד תמותון אמר אדוני
יהוה צבאות
15 כה אמר אדוני יהוה צבאות לך בוא אל הסוכן הזה אל שבנא
אשר על הבית 16 מהלך פה ומי לך פה כי חצבתה לכה פה קבר
חצבי מרום קברו חוקקי בסלע משכן לו 17 הנה יהוה מטלטלך
ו
טלטלה גבר ועוטך עטה 18 צנף יצנפכה צנפה כדור אל
ארץ רחבת ידים שמה תמות ושמה מרכבות כבודך קלון בית
אדוניך 19 והדפתיך ממצבך וממעמדך הרסך
ת
20 והיה ביום ההוא וקרתי לעבדי לאליקים בן חלקיה 21 והלבשיו
כתנו. . ואבניטך אחזקנו וממשלתך אתן בידו והיה
לאב ליושב ירושלם ולבית יהודה 22 ונתתי מפתח בית דויד
על שכמו ופתח ואין סוגר וסגר ואין פותח 23 ותקע.יו יתד
במקום נאמן והיה לכסא כבוד לבית אביו 24 ותלו . . . . כול כבוד

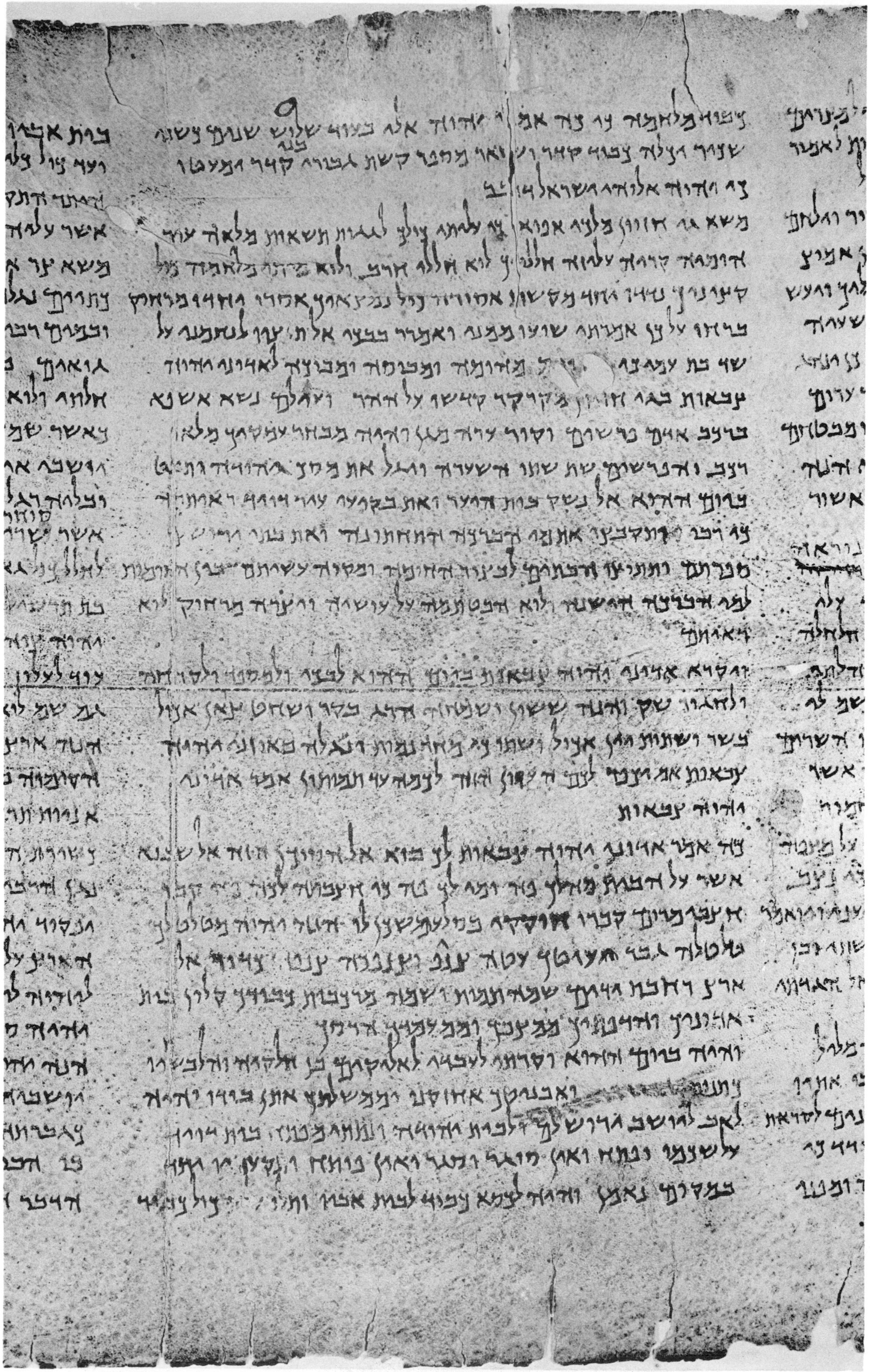

PLATE XVII

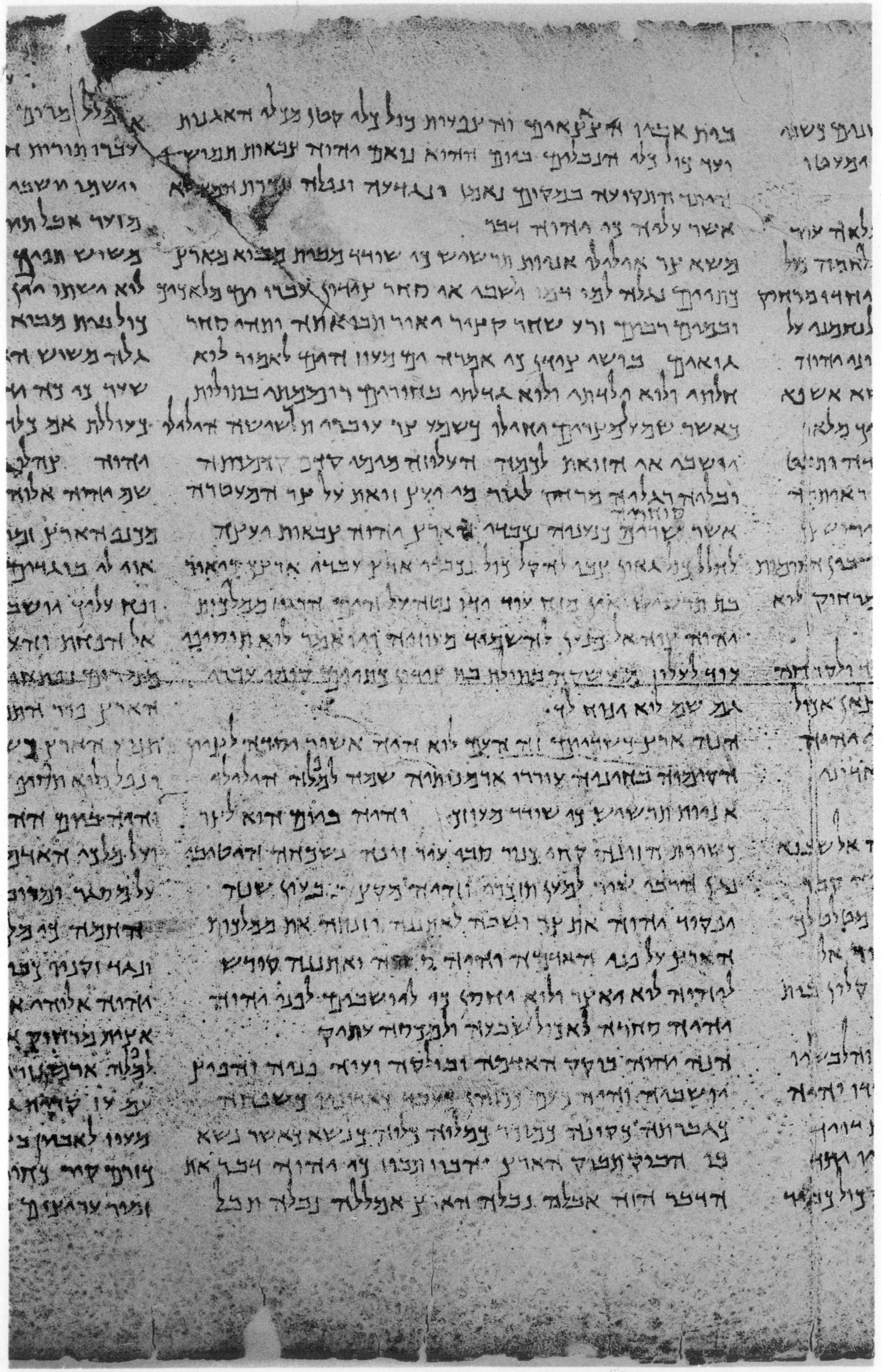

PLATE XVIII

בית אביו הצא͏אים והצפעות כול כלי קטן מכלי האגנות
ועד כול כלי הנבלים 25 ביום ההוא נואם יהוה צבאות תמוש
היתד התקועה במקום נאמן ונגדעה ונפלה ונכרת המשא
אשר עליה כי יהוה דבר
xxiii 1 משא צר אילילו אניות תרשיש כי שודד מבית מבוא מארץ
כתיים נגלה למו 2 דמו יושבי אי סחר צידון עברו ים מלאכיך
3 ובמים רבים זרע שחר קציר יאור תבואתה ותהי סחר
גואים 4 בושי צידן כי אמרה ים מעוז הים לאמור לוא
חלתי ולוא ילדתי ולוא גדלתי בחורים רוממתי בתולות
5 כאשר שמע ל מצרים יחילו כשמע צר 6 עוברי תרשישה הילילו
יושבי אי 7 הזואת לכמה העליזה מימי קדם קדמותה
יבלוה רגליה מרחק לגור 8 מי יעץ זואת על צר המעטרה
אשר שרים כנעניה (סוחריה) נכבדי הארץ 9 יהוה צבאות יעצה
לחלל כול גאון צבי להקל כול נכבדי ארץ 10 עבדי ארצך כיאור
בת תרשיש אין מזח עוד 11 ידו נטה על הים הרגיז ממלכות
יהוה צוה אל כנען להשמיד מעוזיה 12 ויואמר לוא תוסיפי
עוד לעלוז מעשקה בתולת בת צידון כתיים קומי עברי
גם שם לוא ינוח לך
13 הנה ארץ כשדיים זה העם לוא היה אשור יסדה לציין
הקימוה בחיניה עוררו ארמנותיה שמה למפלה 14 הילילו
אניות תרשיש כי שודד מעוזך 15 והיה ביום הוא לצר
כשירת הזונה 16 קחי כנור סבי עיר זונה נשכחה היטיבי
נגן הרבי שיר למען תזכרי 17 והיה מקץ .בעין שנה
יפקוד יהוה את צר ושבה לאתננה וזנתה את ממלכות
הארץ על פני האדמה 18 והיה ס. .ה ואתננה קודש
ליהוה לוא יאצר ולוא יחסן כי ליושבים לפני יהוה
יהיה סחרה לאכול לשבעה ולמכסה עתיק
xxiv 1 הנה יהוה בוקק האדמה ובולקה ועוה פניה והפיץ
יושביה 2 והיה כעם ככוהן כעבד כאדוניו כשפחה
כגברתה כקונה כמוכר כמלוה כלוה כנשא כאשר נשא
בו 3 הבוק תבוק הארץ והבוז תבוז כי יהוה דבר את
הדבר הזה 4 אבלה נבלה הא.ץ אמללה נבלה תבל

אמלל מרום [עם] הארץ 5 והארץ חנפה תחת יושביה כי
עברו תורות חלפו חוק הפירו ברית עולם 6 על כן אלה אכלה
וישמו יושבי בה על כן חורו יושבי ארץ ונשאר אנוש
מזער 7 אבל תירוש אמללה גפן נאנחו כול שמחי לב 8 שבת
משוש תפים חדל שאון עליזים שבת משוש כנור 9 בשיר
לוא ישתו יין וימר שכר לשותיו 10 נשברה קרית תהו סגר
כול בית מבוא 11 צוחה על היין בחוצות ערבה כול שמחה
גלה משוש הארץ 12 נשאר בעיר שמה ושאיה יוכת
שער 13 כי כה יהיה בקרב הארץ בתוך העמים כנקף זית
כעוללת אם כלה בציר 14 המה ישאו קולם ירונו בגאון
יהוה צהלו מים 15 על כן בארים כבדו יהוה באיי הים
שם יהוה אלוהי ישראל
16 מכנף הארץ זמרת שמענו צבי לצדיק ואמר רזי לי רזי לי
אוי לי בוגדים בגדו ובגד בוגדים בגדו 17 פחד ופחת
ופח עליך יושב הארץ 18 והיה הנס מקול הפחד יפול
אל הפחת והעולה מתוך הפחת ילכד בפח כי ארבות
ממרום נפתחו וירעשו מוסדי ארץ 19 . . . . התרועעה
הארץ פור התפוררה ארץ מוט התמוטטה ארץ 20 נ[ו]ע
תנוע הארץ כשכור והתנודדא וכמלונה וכבד עליה פשעה
ונפל ולוא ת[ו]סיף קום
21 והיה ביום ההוא יפקוד יהוה על צבא המרום במרום
ועל מלכי האדמה על האדמה 22 אספו אספה על בור וסגרו
על מסגר ומרוב ימים יפקדו 23 וחפרה הלבנה ובושה
החמה כי מלך יהוה צבאות בהר ציון ובירושלם
ונגד זקניו כבוד
XXV 1 יהוה אלוהי אתה ארוממך אודה שמך כי עשיתה פלא
אצות מרחוק א. .נה אמן 2 כי שמתה מעיר לגל קריה בצורה
ל[פ]מלה ארמון זרים מעיר לעולם לוא יבנה 3 עלכן יכבדוך
עם עז קרית גוים עריצים ייראוך 4 כי הייתה מעוז לדל
מעוז לאביון בצר לו מחסה מזרם צל מחורב כי רוח עריצים
כזרם קיר 5 כחורב בציון שאון זרים תכניע חורב בצל עב
זמיר עריצים יענה

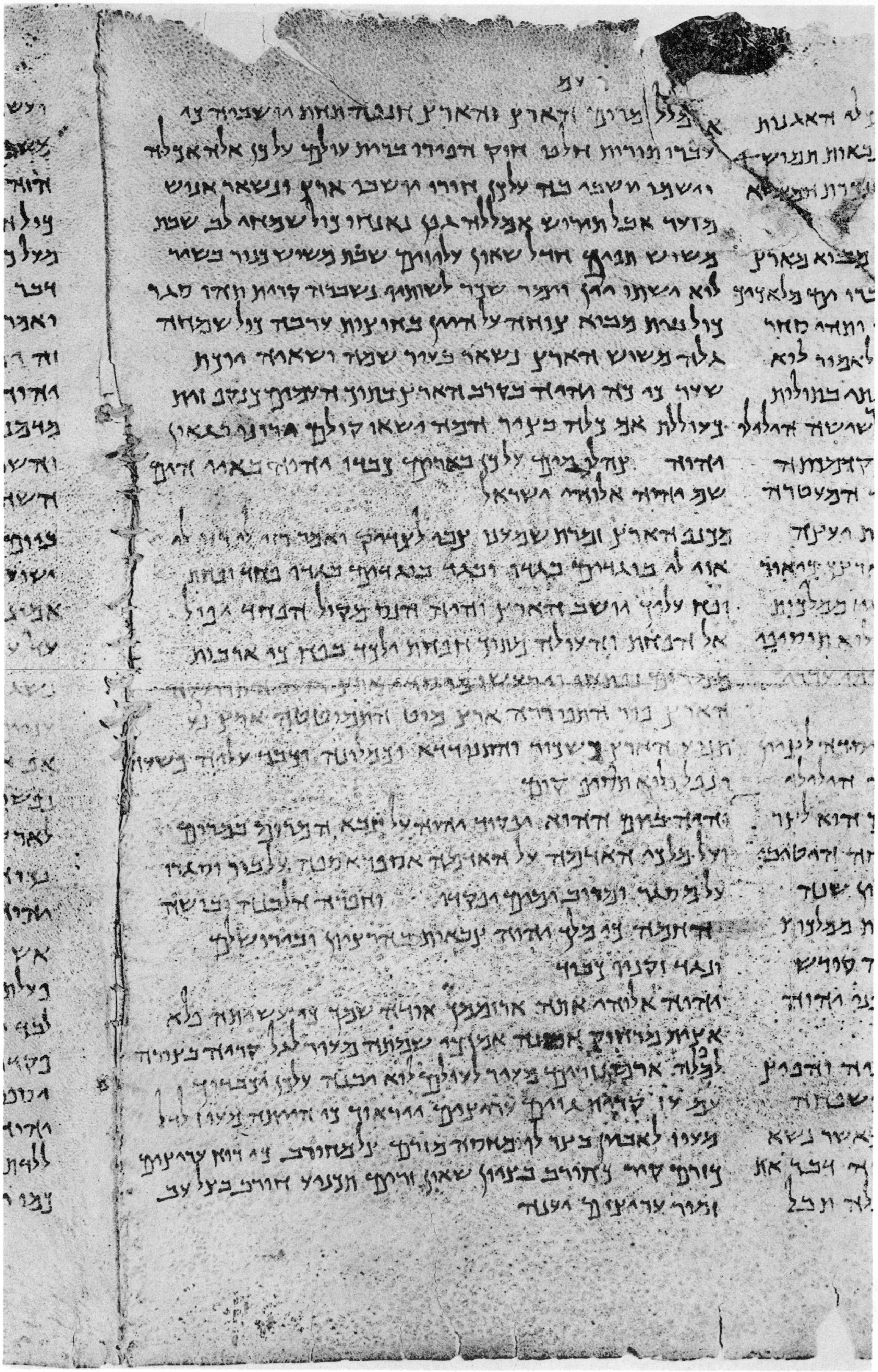

PLATE XIX

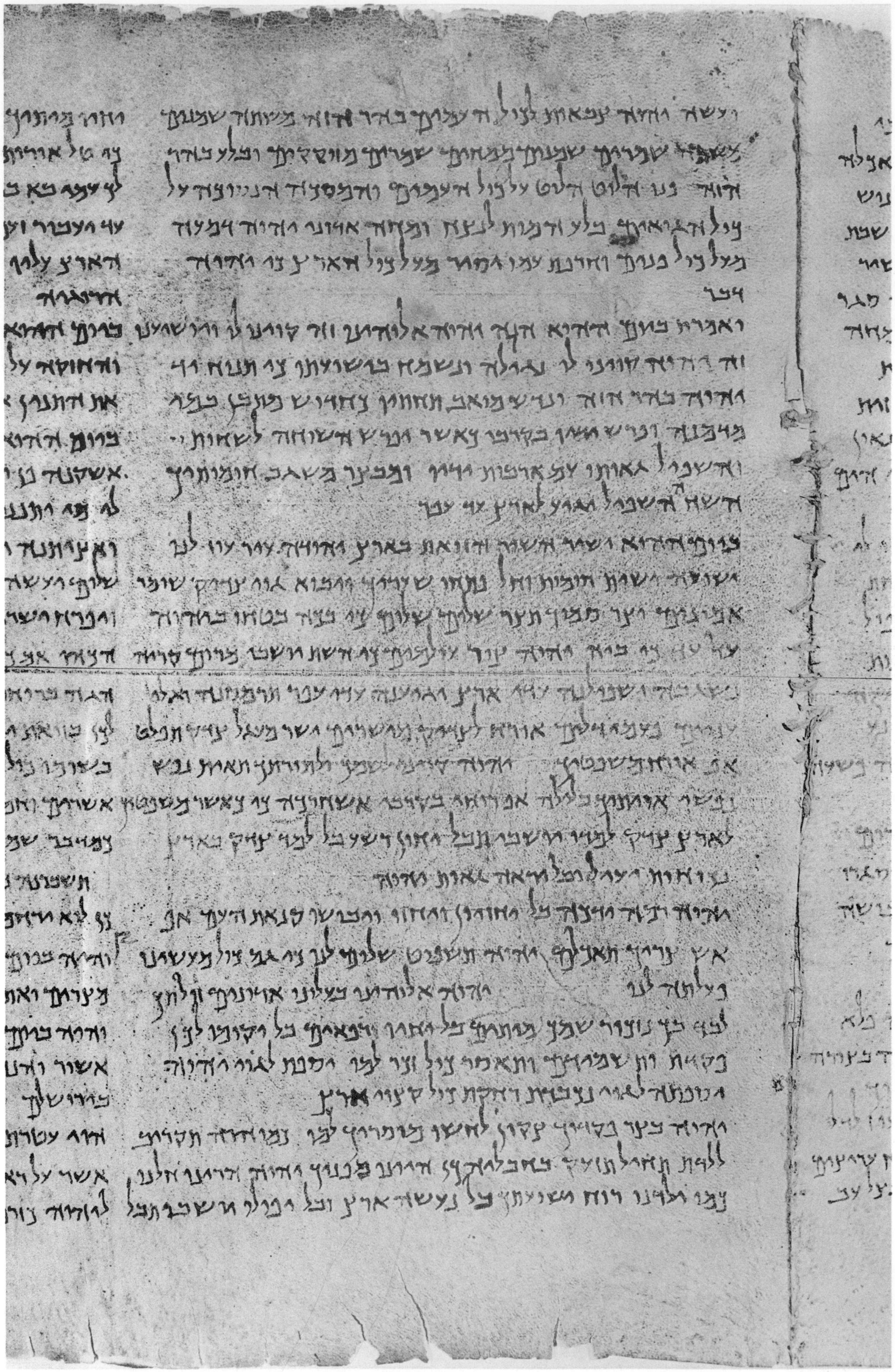

PLATE XX

6 ועשה יהוה צבאות לכול העמים בהר הזה משתה שמנים
מש.ה שמרים שמנים ממחים שמרים מזוקקים 7 ובלע בהר
הזה פני הלוט הלוט על כול העמים והמסכה הנסוכה על
כול הגואים 8 בלע המות לנצח ומחה אדוני יהוה דמעה
מעל כול פנים וחרפת עמו יסיר מעל כול הארץ כי יהוה
דבר
9 ואמרת ביום ההוא הנה יהוה אלוהינו זה קוינו לו ויושיענו
זה יהוה קוינו לו נגילה ונשמח בישועתו 10 כי תנוח יד
יהוה בהר הזה ונדש מואב תחתיו כחדוש מתבן במי
מדמנה 11 ופרש ידיו בקרבו כאשר יפרש השוחה לשחות
והשפיל גאותו עם ארבות ידיו 12 ומבצר משגב חומותיך
השח^ה^ השפיל יגיע לארץ עד עפר
xxvi 1 ביום ההוא ישיר השיר הזואת בארץ יהודה עיר עוז לנו
ישועה ישית חומות וחל 2 פתחו שעריך ויבוא גוי צדיק שומר
אמונים 3 יצר סמוך תצר שלום שלום כי בכה 4 בטחו ביהוה
עד ׳ עד כי ביה יהוה צור עולמים 5 כי השת יושבי מרום קריה
נשגבה ישפילנה עדי ארץ יגיענה עדי עפר 6 תרמסנה רגלי
עניים פעמי דלים 7 אורח לצדיק מישרים ישר מעגל צדק תפלט
8 אף אורח משפטיך יהוה קוינו לשמך ולתורתך תאות נפש
9 נפשי אויתיך בלילה אף רוחי בקרבי אשחרכה כי כאשר משפטיך
לארץ צדק למדו יושבי תבל 10 יחון רשע בל למד צדק בארץ
נכוחות יעול ובל יראה גאות יהוה
11 יהוה רמה ידכה בל יחזיון ויחזו ויבושו קנאת העם אף
אש צריך תאכלם 12 יהוה תשפוט שלום לנו כי גם כול מעשינו
פעלתה לנו 13 יהוה אלוהינו בעלונו אדונים זולתך
לבד בך נזכיר שמך 14 מיתים בל יחיו ורפאים בל יקומו לכן
פקדת ותשמידם ותאסר כול זכר למו 15 יספת לגוי יהוה
יספתה לגוי נכבדת רחקת כול קצוי ארץ
16 יהוה בצר פקדוך צקון לחשו מוסריך למו 17 כמו הרה תקריב
ללדת תחיל תזעק בחבליה כן היינו מפניך יהוה 18 הרינו חלנו
כמו ילדנו רוח ישועתך בל נעשה ארץ ובל יפולו יושבי תבל

19 יהיו מיתיך נבלתי יקומון יקיצו וירננו שוכני עפר
כי טל אורות טלך וארץ רפאים תפיל
20 לך עמי בא בחדריך וסגר דלתיך בעדך חבי כמעט רגע
עד יעבור זעם 21 כי יהוה יצא ממקומו לפקוד עוון יושב
הארץ עליו וגלתה הארץ את דמיה ולוא תכסה עוד על
הרוגיה
xxvii 1 ביום ההוא יפקוד יהוה בחרבו הקשה והגדולה
והחזקה על לויתן נחש בורח ועל לויתן נחש עקלתון והרג
את התנין אשר בים
2 ביום ההוא כרם חומר ענו לה 3 אני יהוה נצרה לרגעים
אשקנה פן יפקוד עליה לילה ויום אצורנה 4 חמה אין
לי מי יתנני שומיר ושית במלחמה אפשעה בה
ואציתנה יחדו 5 או יחזק במעוזי יעשה שלום לי
שלום יעשה לי 6 הבאים ישריש יעקוב ויציץ
ויפרח ישראל ומלאו פני תבל תנובה 7 הכמכת מכהו
הכהו אם כהרג הורגיו הרג 8 בסאסאה בשלחה תריבנה
הגה ברוחו הקשה ביום קדים
9 לכן בזואת יכפר עוון יעקוב וזה כול פרי הסיר חטאו
בשומו כול אבני מזבח כאבני גיר מנפצות לוא יקומו
אשרים וחמנים 10 כי עיר בצורה בדד נוה משלח ונעזב
כמדבר שם ירעה עגל ושם ירבץ וכלה סעפיה 11 ביבש קצירה
באות
תשברנה נשים מאירות אותה כי לוא עם בינות הוא על
כן לוא ירחמנו עושהו ויוצרו לוא יחוננו
12 והיה ביום ההוא יחבוט יהוה משבל הנהר עד נחל
מצרים ואתמה תלקטו לאחד אחד בני ישראל
13 והיה ביום ההוא יתקע בשופר גדול ובאו האובדים בארץ
אשור והנדחים בארץ מצרים והשתחו ליהוה בהר הקדש
בירושלם
xxviii 1 הוי עטרת גאון שכורי אפרים וציץ נבל צבי תפארתו
ב
אשר על ראש גאי שמנים הלומי יין 2 הנה חזק ואמץ
ליהוה כזרם ברד שער קטב כזרם מים כברים שוטפים

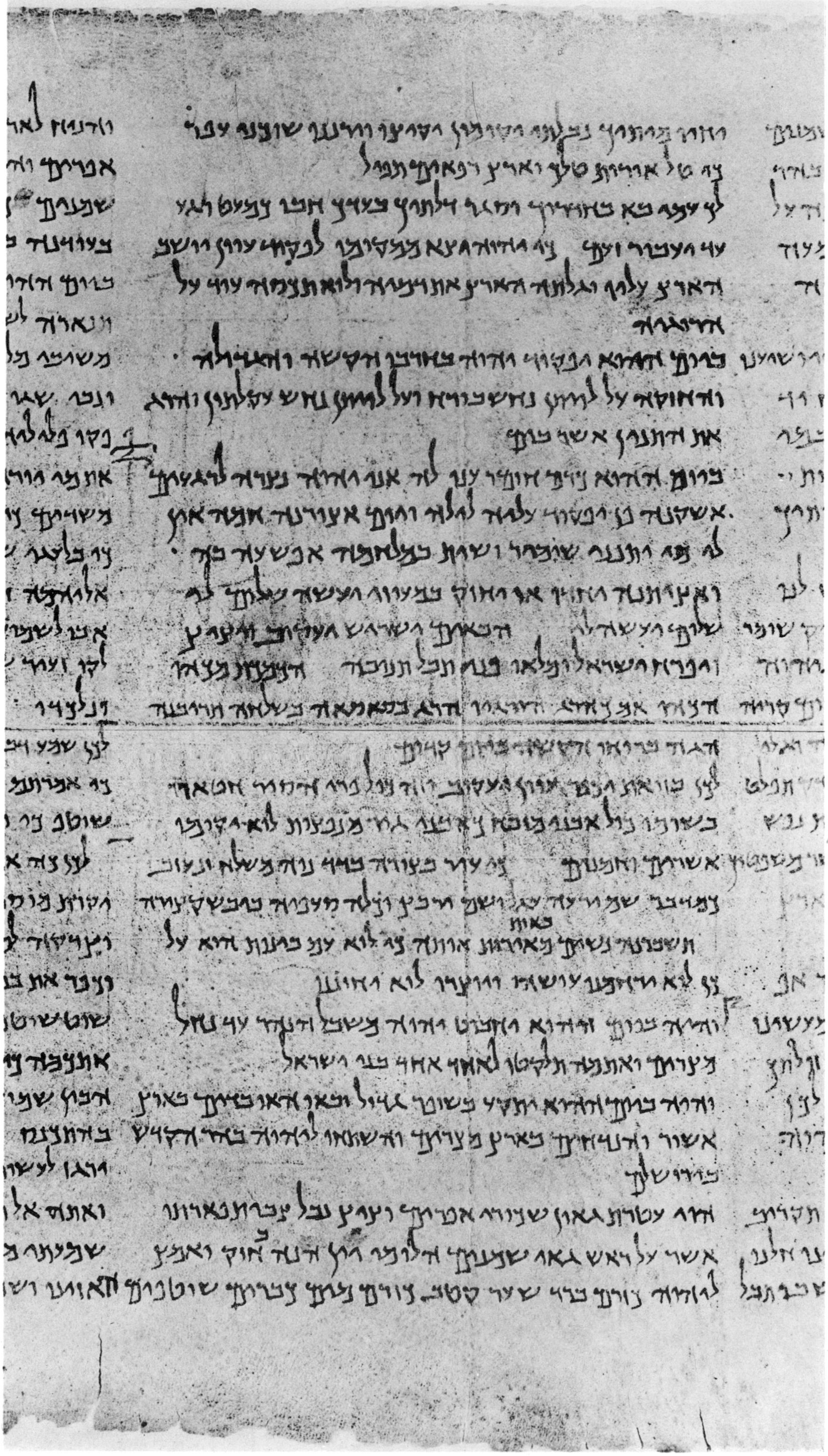

PLATE XXI

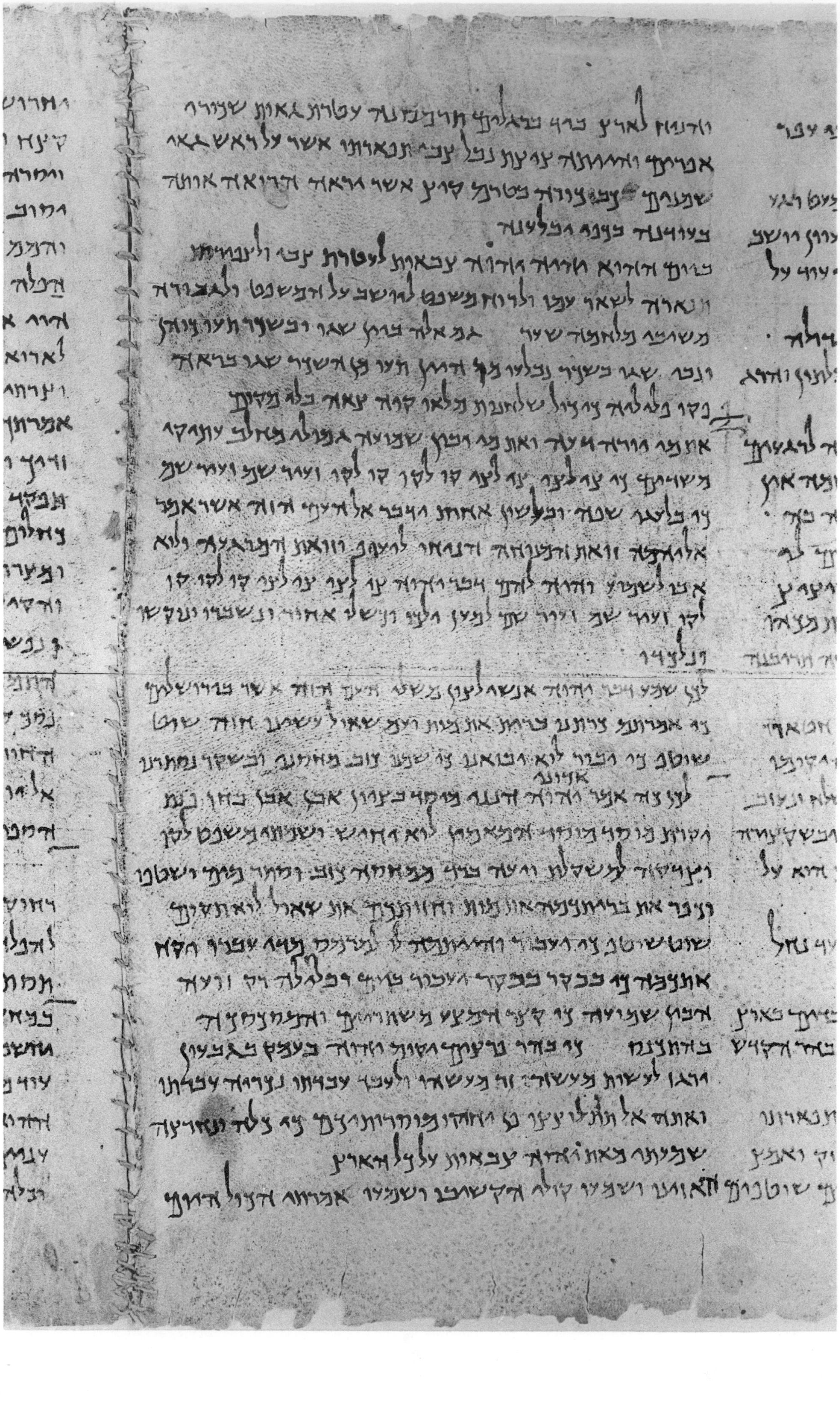

PLATE XXII

והניח לארץ ביד 3 ברגלים תרמסנה עטרת גאות שכורי
אפרים 4 והייתה ציצת נבל צבי תפארתו אשר על ראש גאי
שמנים כבכורה בטרם קיץ אשר יראה הרואה אותה
בעודנה בכפו יבלענה

5 ביום ההוא יהיה יהוה צבאות לעטרת צבי ולצפירת
תפארה לשאר עמו 6 ולרוח משפט ליושב על המשפט ולגבורה
משיבי מלחמה שער 7 גם אלה ביין שגו ובשכר תעו כוהן
ונבי שגו בשכר נבלעו מן היין תעו מן השכר שגו בראה
פקו פליליה 8 כי כול שלחנות מלאו קיה צאה בלי מקום

9 את מי יורה דעה ואת מי יבין שמועה גמולי מחלב עתיקי
משדים 10 כי צי לצי צי לצי קו לקו קו לקו זעיר שם זעיר שם
11 כי בלעגי שפה ובלשון אחרת ידבר אל העם הזה 12 אשר אמר
אליהמה זואת המנוחה הניחו ליעיף וזואת המרגעה ולוא
אבו לשמוע 13 והיה להם דבר יהוה צי לצי צי לצי קו לקו קו
לקו זעיר שם זעיר שם למען ילכו וכשלו אחור ונשברו ונוקשו
ונלכדו

14 לכן שמע דבר יהוה אנשי לצון משלי העם הזה אשר בירושלים
15 כי אמרתם כרתנו ברית את מות ועם שאול עשינו חזה שוט
שוטפ כי יבור לוא יבואנו כי שמנו כזב מחסנו ובשקר נסתרנו

16 לכן כה אמר יהוה [אדוני] הנני מיסד בציון אבן אבן בחן פנת
יקרת מוסד המאמין לוא יחיש 17 ושמתי משפט לקו
וצדקה למשקלת ויעה ברד ממחסה כזב וסתר מים ישטפו
18 וכפר את בריתכמה את מות וחזותכם את שאול לוא תקום
שוט שוטף כי יעבור והייתמה לו למרמס 19 מדי עברו יקח
אתכמה כי בבקר בבקר יעבור ביום ובלילה רק זועה
הבין שמועה 20 כי קצר המצע משתריים והמסכסכה
בהתכנס 21 כי בהר פרצים יקום יהוה בעמק בגבעון
ירגז לעשות מעשהו זר מעשהו ולעבד עבדתו נכריה עבדתו
22 ואתה אל תתלוצצו פן יחזקו מוסרותיכם כי כלה ונחרצה
שמעתי מאת יהוה צבאות על כל הארץ

23 האזינו ושמעו קולי הקשיבו ושמעו אמרתי 24 הכול היום

יחרוש החורש לזרוע ופתח ושדד אדמתו 25 הלוא אם שוה פניה והפיץ

קצח וכימן יזרק ושם חטה שורה ושעורה נסמן וכסמת גבולתו

26 ויסרהו למשפט אלוהו יורנו 27 כי לוא בחרוץ ידש קצח ואפן עגלה על כמן

יסוב כי במטה יחבט קצח וכמן בשבט 28 ידק כי לוא לנצח הדש ידושנו

5

גלגל

והמם עגלתו ופרשיו לוא ידקנו 29 גם זאת מעם יהוה צבאות יצאה

הפלה עצה והגדיל תושיה

xxix 1 הוי אריאל אריאל קרית חנה דויד ספי שנה על שנה חגים ינקפו 2 והציקותי

לאריאל והייתה תאניה ואניה והייתה לי כאריאל 3 וחניתי כדור עליך

וצרתי עליך מצב והקימותי עליך מצודות 4 ושפלת מארץ תדברי ומעפר תשח

10 אמרתך והיה כאוב מארץ קולך ומעפר אמרתך תצפצף 5 והיה כאבק דק המון

זדיך וכמוץ עובר המון עריצים והיה לפתע פתאם 6 מעם יהוה צבאות

תפקד ברעם וברעש וקול גדול סופה וסערה ולהב אש אוכלה 7 והיה

כחלום חזון לילה המון כול הגואים הצובאים על אריאל וכול צביה

ומצרתה והמציקים לה   8 והיה כאשר יחלום הרעב והנה אוכל

15 והקיץ וריקה נפשיו וכאשר יחלום הצמא והנה שותה והקיץ והנה עיף

ונפשו שקוקה כן יהיה המון כול הגואים הצבאים על הר ציון

ת

9 התמהמהו ותמהו התשעשעו ושועו שכרון ולוא מיין נעוו ולשכר 10 כי

נסך עליכמה יהוה רוח תרדמה ויעצם את עיניכם את הנביאים ואת ראשיכם

החוזים כסה 11 ותהיה לכם חזות הכול כדברי הספר החתום אשר יתנו אותו

ה

20 אל יודע ספר לאמור קרא נא זה ויואמר לוא אוכל כי חתום הוא 12 ונתנו

הספר אל אשר לוא יודע ספר לאמור קרא נא זה ויואמר לוא ידעתי ספר

13 ויואמר אדוני יען כי נגש העם הזה בפיו ובשפתיו כבדתי ולבו

רחוק ממני ותהיה יראת אותי כמצות אנשים מלמדה 14 לכן הנה אנוכי יוסף

להפלה את העם הזה הפלה ופלא ואבדה חכמת חכמיו ובינות נבוניו

25 תסתתר   15 הוי המעמיקים מיהוה לסתר עצה ויהי

ו

במחשך מעשיהם ויואמרו מי ראנו ומי ידענו 16 הפך מכם אם כחם היוצר

יחשב כי יאמר מעשה לעושהו לוא עשני ויצר חמר ליוצריו לוא הבין 17 הלוא

עוד מעט מזער ושב לבנון לכרמל והכרמל ליער יחשב 18 ושמעו ביום

ההוא החרשים דברי ספר ומאפלה ומחושך עיני עורים תראינה 19 ויספו

30 ענוים ביהוה שמחה ואביוני אדם בקדוש ישראל יגילו 20 כי אפס עריץ

וכלה ליץ ונכרתו כול שוקדי און 21 מחטיאי אדם בדבר ולמוכיח בשער

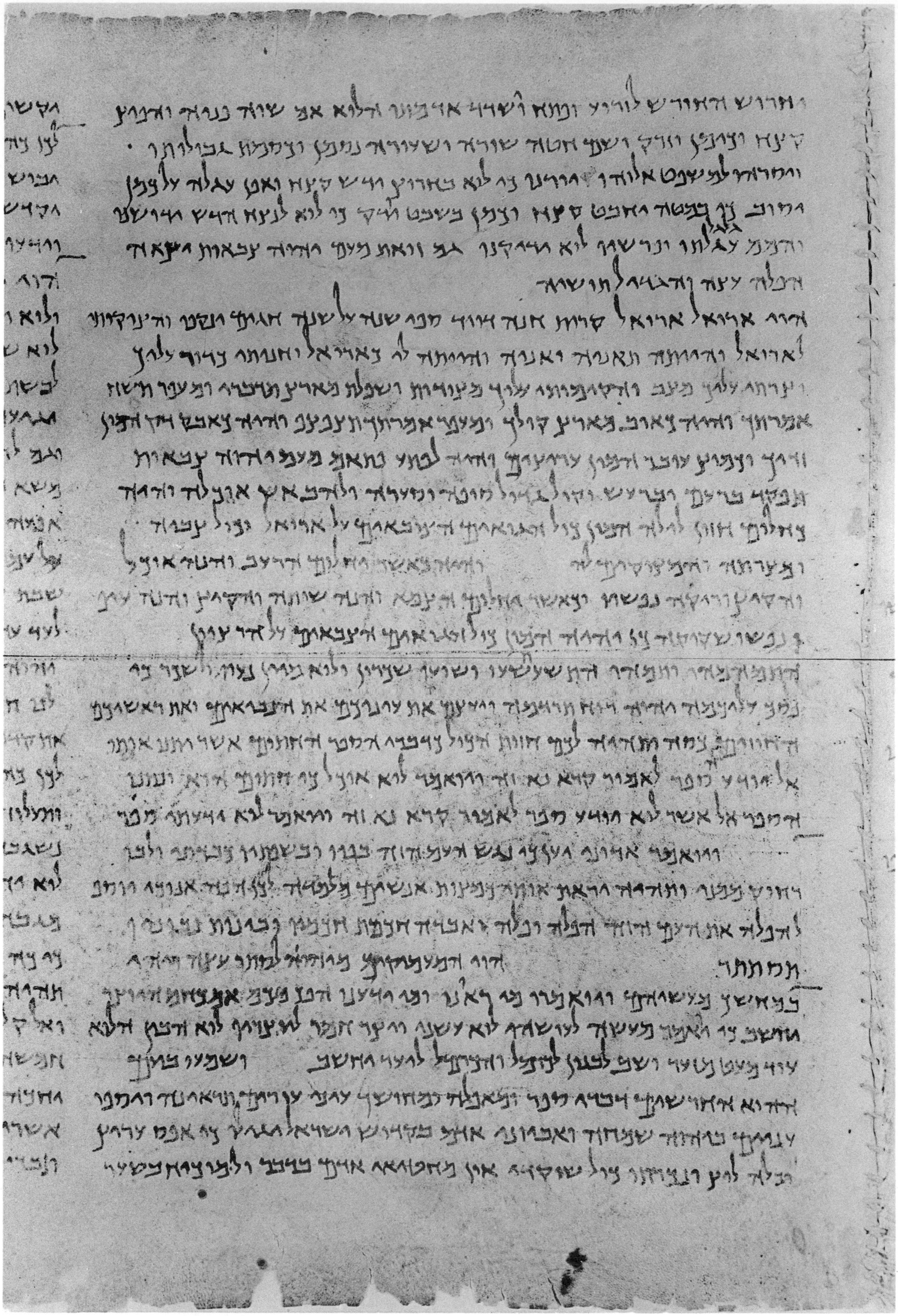

PLATE XXIII

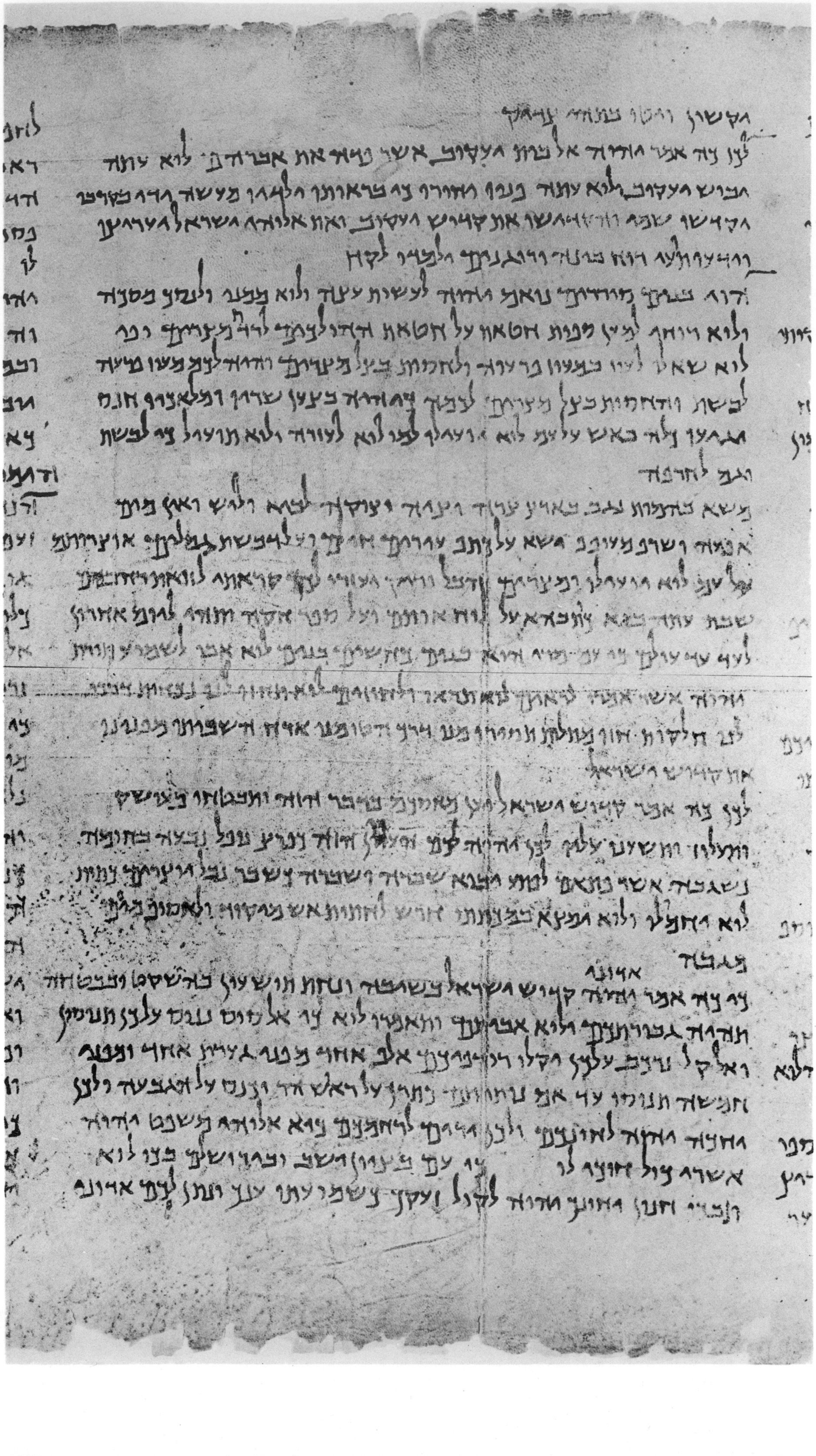

PLATE XXIV

יקשון ויטו בתהו צדיק
22 לכן כה אמר יהוה אל בית יעקוב אשר פדה את אברהם לוא עתה
יבוש יעקוב ולוא עתה פניו יחורו 23 כי בראותו ילדיו מעשה ידי בקרבו
יקדשו שמי והקדישו את קדוש יעקוב ואת אלוהי ישראל יעריצו
24 וידעו ת[ו]עי רוח בינה ורוגנים ילמדו לקח
xxx 1 הוי בנים סוררים נואם יהוה לעשות עצה ולוא ממני ולנסך מסכה
ולוא רוחי למען ספות חטאת על חטאת 2 ההולכים לרד[ת] מצרים ופי
לוא שאלו לעוז במעוז פרעוה ולחסות בצל מצרים 3 והיה לכם מעוז פרעה
לבשת והחסות בצל מצרים לכלמה 4 כי היה בצען שריו ומלאכיו חנס
יגיעו 5 כלה באש על עם לוא יועילו למו לוא לעזרה ולוא תועיל כי לבשת
וגם לחרפה
6 משא בהמות נגב בארץ צרה וציה וצוקה לביא וליש ואין מים
אפעה ושרף מעופף ישא על כתף עורים חילם ועל דבשת גמלים אוצרותם
על עם לוא יועילו 7 ומצרים הבל וריק יעזורו לכן קראתי לזואת רהב הם
שבת 8 עתה בוא כת[ו]בהא על לוח אותם ועל ספר חקה ותהי ליום אחרון
לעד עד עולם 9 כי עם מרי הוא בנים כחשים בנים לוא אבו לשמוע תורת
יהוה 10 אשר אמרו לראים לוא תראו ולחוזים לוא תחזו לנו נכחות דברו
לנו חלקות חזו מתלות 11 תסורו מני דרך הטו מני ארח השביתו מפנינו
את קדוש ישראל
12 לכן כה אמר קדוש ישראל יען מאסכם בדבר הזה ותבטחו בעושק
ותעלוז ותשענו עליו 13 לכן יהיה לכם הע[וו]..ן הזה כפרץ נופל נבעה בחומה
נשגבה אשר פתאם לפתע יבוא שברה 14 ושברה כשבר נבל יוצרים כתות
לוא יחמ[ו]לו ולוא ימצא במכתתו חרש לחתות אש מיקוד ולחסוף מים
מגבה
15 כי כה אמר יהוה [אדוני] קדוש ישראל בשובה ונחת תושעון בהשקט ובבטחה
תהיה גבורתכם ולוא אביתם 16 ותאמרו לוא כי אל סוס ננוס על כן תנוסון
ואל קל נרכב על כן יקלו רודפיכם 17 אלף אחד מפני גערת אחד ומפני
חמשה תנוסו עד אם נות.תם כתרן על רא[ו]ש הר וכנס על הגבעה 18 ולכן
יחכה יהוה לחונכם ולכן ירום לרחמכם כיא אלוהי משפט יהוה
אשרי כול חוכי לו 19 כי עם בציון ישב ובירושלם בכו לוא
תבכו חנון יחונך יהוה לקול זעקך כשמועתו ענך 20 ונתן לכם אדוני

לחם צר ומי לחץ ולוא יכנפו עוד מוראיך והיו עיניך

ראות את מוריך 21 ואוזניך תשמענה דבר מאחריך לאמר זה

הדרך לכו בו כי תיאמינו וכי תשמאילו 22 וטמיתם את צפוי

פסילי כספך ואת אפודות מסכות זהבך תזרם כמ. דוה צא תאמר הֹ

5 לו 23 ונתן מטר זרעך אשר תזרע את אדמה ולחם תבואת האדמה

יהיה דשן ושמן ירעה מקניך ביום ההוא כר נרהב 24 והאלפים

והעירים עובדי האדמה בליל חמץ יאכלו אשר יזרה ברחת

ובמזרה 25 והיה על כול הר גבה ועל כול גבעה נשאה פלגים

יובלי מים בים הרג רב בנפל מגדלים 26 והיה אור הלבנה

10 כאור החמה ואור החמה יהיה שבעתים כאור שבעת

הימים ביום חבוש יהוה את שבר עמו ומחץ מכתו ירפא

27 הנה שם יהוה בא ממרחק בוער אפו וכבד משאה שפתיו מלאו

זעם ולשונו כאש אוכלת 28 ורוחו כנחל שוטף עד צואר יחצה לנפה

גואים בנפת שוא ורסן מתעה על לוחיֹ עמים 29 השירֹ היה לכמה

15 כליל התקדישו חג ושמחת לבב כהולך בחליל לבוא בהר יהוה

אל צור ישראל 30 השמיע השמיע יהוה את הוד קולו ונחת

זרועו יראה בזעף אף ולהב אש אוכלה נפץ וזרם ואבן ברד

31 כי מקול יהוה יחת אשור בשבט יאכה 32 והיה כול מעבר מטה

מוסדו אשר יניח יהוה עליו בתפים ובכנרות ובמלחמות תנופה

20 נלחם בה 33 כי ערוך מאתמול תפתה גם היה למלך יוכן הכיני

והעמיקי הרחיבי מדורתה אש ועצים הרבה נשמת יהוה

כנחל גפרית בערה בה

xxxi 1 הוי היורדים למצרים לעזרה על סוסים ישענו ויבטחו על

הרכב כי רב ועל פרשים כי עצמו מאדה ולוא שעו אל קדוש

25 ישראל ואת יהוה לוא דרשו 2 וגם הוא חכם ויביא רע

ואת דבריו לוא הסיר וקם על בית מרעים ועל עזרת פועלי און

3 ומצרים אדם ולוא אל וסוסיהמה בשר ולוא רוח

ויהוה יטה ידו וכשל עוזר ונפל עזר יחדו כולם יכלוןֹ

4 כי כה אמר יהוה אלי כאשר יהגה אריה והכפיר על טרפיו הֹ

30 אשר יקרא עליו מלאו רֹעים מקולם לוא יחת ומהמונם לוא

יחת יענה כן ירד יהוה צבאות לצבא על הר ציון ועל גבעתה

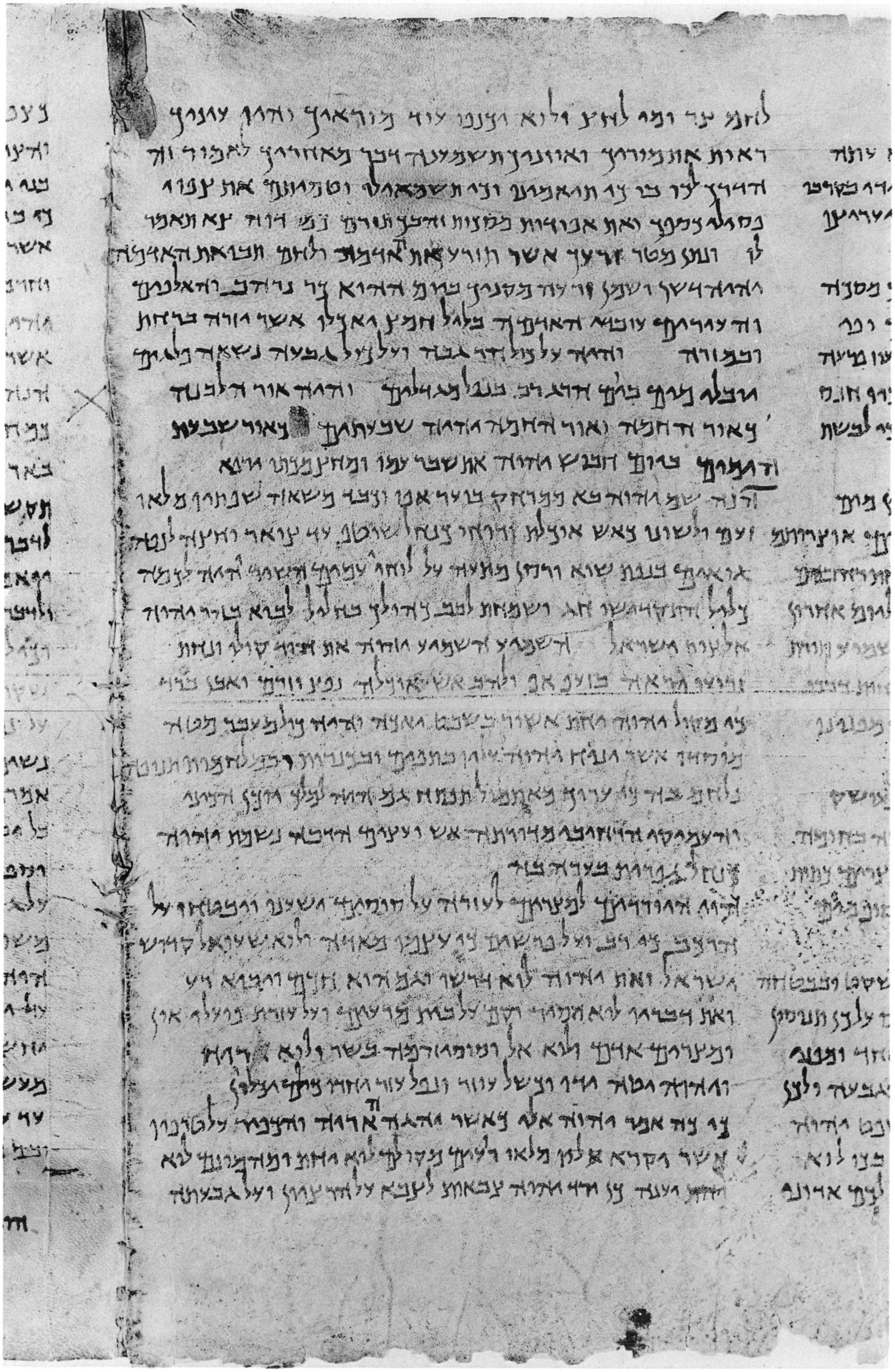

PLATE XXV

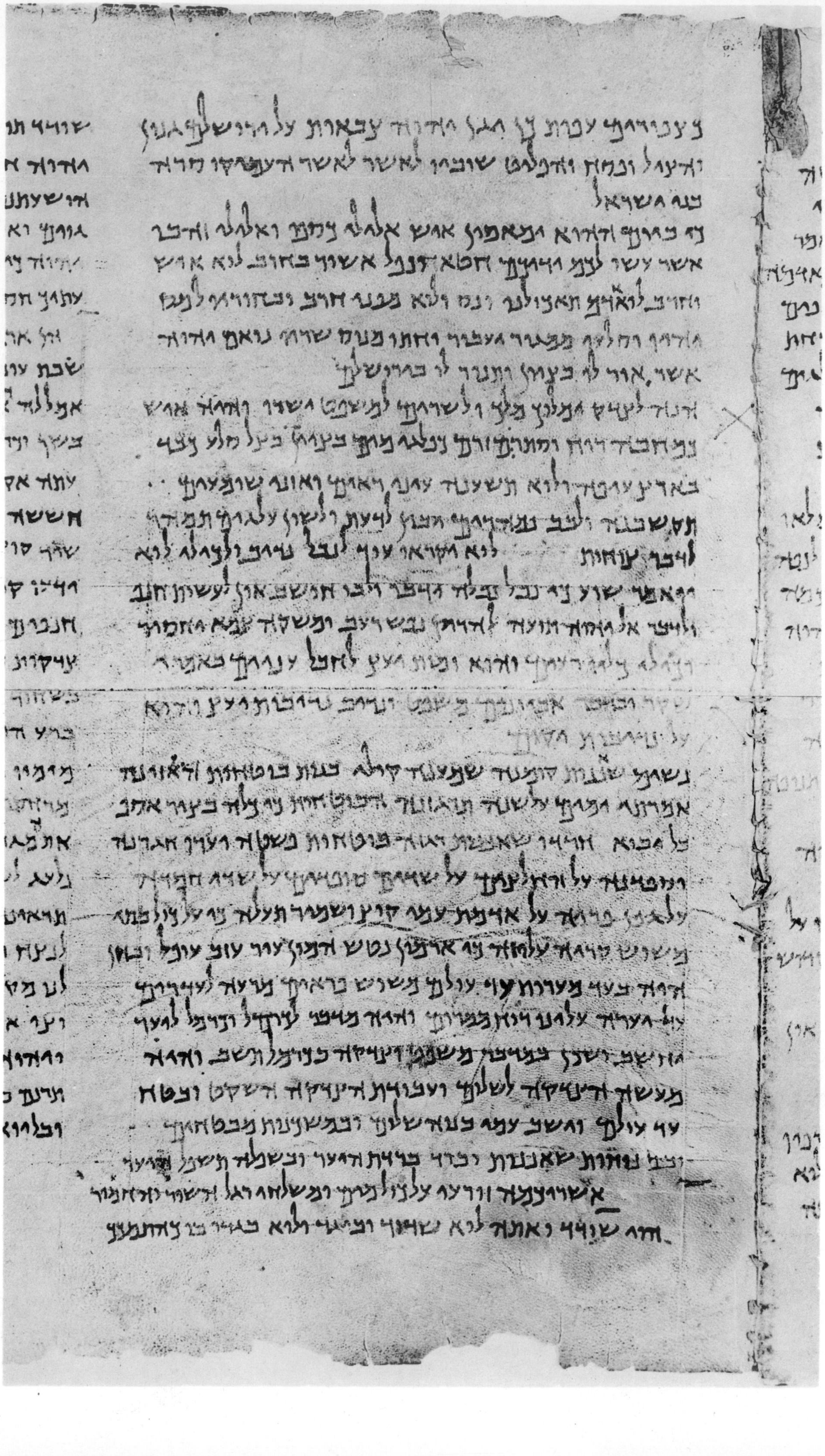

PLATE XXVI

5 כצפורים עפות כן יגן יהוה צבאות על ירושלם גנון
והציל ופסח והפליט 6 שוביו לאשר לאשר העמיקו סרה
בני ישראל
7 כי ביום ההוא ימאסון איש אלילי כספו ואלילי זהבו
אשר עשו לכם ידיכם חטא 8 ונפל אשור בחרב לוא איש
וחרב לואדם תאכולנו ונס ולוא מפני חרב ובחוריו למס
יהיו 9 וסלעו ממגור יעבור וחתו מניס שריו נואם יהוה
אשר אור לו בציון ותנור לו בירושלם
xxxii 1 הנה לצדק ימלוך מלך ולשרים למשפט ישרו 2 והיה איש
כמחבה רוח וסתרם זרם כפלגי מים בציון בצל סלע כבד
בארץ עיפה 3 ולוא תשענה עיני ראים ואזני שומעים
תקשבנה 4 ולבב נמהרים יבין לדעת ולשון עלגים תמהר
לדבר צוחות 5 לוא יקראו עוד לנבל נדיב ולכילי לוא
יואמר שוע 6 כי נבל נבלה ידבר ולבו חושב און לעשות חנף
ולדבר אל יהוה תועה להריק נפש רעב ומשקה צמא יחסיר
7 וכילי כליו רעים והוא זמות יעץ לחבל ענוים באמרי
שקר ובדבר אביונים משפט 8 ונדיב נדיבות יעץ והוא
על נדיבות יקום
9 נשים שננות קומנה שמענה קולי בנות בוטחות האזינה
אמרתי 10 ימים על שנה תרגזנה הבוטחות כי כלה בציר אסף
בל יבוא 11 חרדו שאננות רגזה בוטחות פשטה וערו חגרנה
וספדנה על החלצים 12 על שדים סופדים על שדי חמדה
על גפן פריה 13 על אדמת עמי קוץ ושמיר תעלה כי על כול בתי
משוש קריה עליזה 14 כי ארמון נטש המון עיר עזב עופל ובחן
היה בעד מערות עד עולם משוש פראים מרעה לעדרים
15 עד יערה עלינו רוח ממרום והיה מדבר לכרמל וכרמל ליער
יחשב 16 ושכן במדבר משפט וצדקה בכרמל תשב 17 והיה
מעשה הצדקה לשלום ועבודת הצדקה השקט ובטח
עד עולם 18 וישב עמי בנוה שלום ובמשכנות מבטחים
ובמנוחות שאננות 19 וברד ברדת היער ובשפלה תשפל היער
20 אשריכמה זורעי על כול מים ומשלחי רגל השור והחמור
xxxiii 1 הוי שודד ואתה לוא שדוד ובוגד ולוא בגדו בו כהתמכך

שודד תושד ככלותך לבגוד יבגודו בך
2 יהוה חוננו לכה קוינו והיה זרעם לבקרים אף
הושעתנו בעת צרה 3 מקול המון נדדו עמים מדממתך נפצו
גוים 4 ואסף שללכם אסף החסיל משק גבים שקק בו 5 נשגב
יהוה כי שכן מרום מלא ציון משפט וצדקה 6 יהיה אמונת
עתיך חסן וישועות חכמת ודעת יראת יהוה היא אוצרו
7 הן ארא לם זעקו חצה מלאכי שלום מר יבכיון 8 נשמו מסלות
שבת עובר ארח הפר ברית מאס עדים לוא חשב אנוש 9 אבל
אמללה א(ה)רץ חפיר לבנון קמל והיה השרון כערבה נוער
בשן וכרמל
10 עתה אקום אמר יהוה עתה אתרומם עתה הנשא 11 תהרו
חששה תלדו קש רוחכם אש תאכלכם 12 ויהיו עמים משרפות
שיד קוצים כסוחים באש יצתו 13 שמעו רחוקים אשר עשיתי
ידעו קרובים גבורתי 14 פחדו בציון חטאים אחזה רעדה
חנפים מי יגור לנו אש אוכלה מי יגור לנו מוקדי עולם 15 ה(ו)לך
צדקות ודבר מישרים מאס בבצע מעשקות נער כפי מתמך
בשחוד אוטם או.ניו משמוע דמים ועצם עיניו מראות
ברע 16 הוא מרומים ישכון מצדות סלעים משגבו לחמו נתן
מימיו נאמנים 17 מלך ביופיו תחזין עיניך תראינה ארץ
מרחקים 18 לבכה יהגה אימה איה ספר איה שקל איה ספר
את (ה)מגדלים 19 את עם נועז לוא תראו עם עמקי שפה משמוע
נלעג לשון אין בינה 20 חזה ציון קרית מועדינו עיניך
תראינה ירושלם נוה שאנן אהל בל יצען בל יסע יתדותו
לנצח וכול חבליו בל ינתקו 21 כי אם שם אדיר יהוה
לנו מקום נהרות יארים רחבי ידים בל תלב בו אני שט
וצי אדיר לוא יעברנו 22 כי יהוה שופטנו ויהוה מחוקקנו
ויהוה מלכנו והוא יושיענו 23 נטשו חבליך בל יחזקו כי
תרנם בל פרש נס אז חלק עד שלל מרובה פסחים בזזו בז
24 ובל יואמר שוכן חליתי העם היושב בה נשא עוון

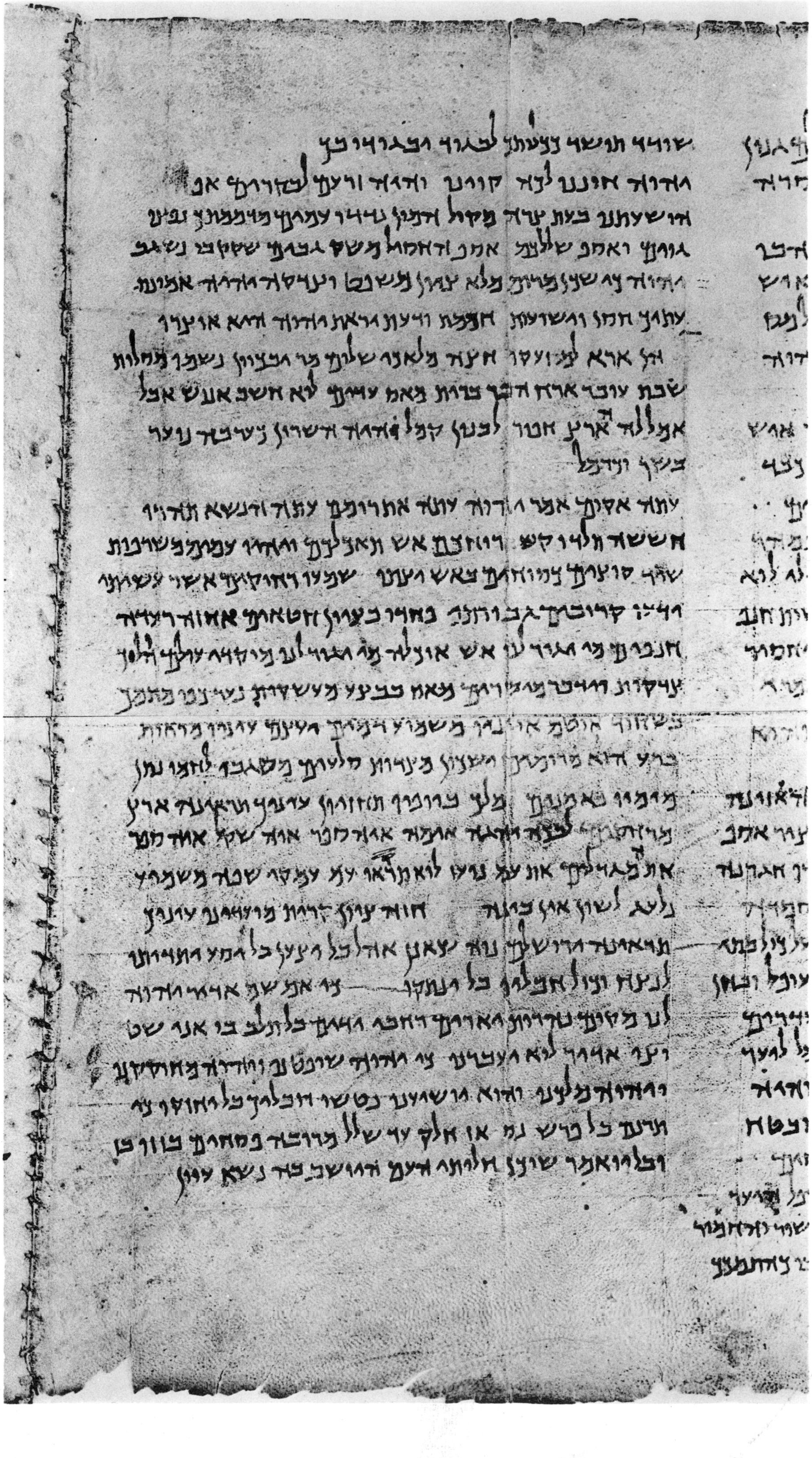

PLATE XXVII

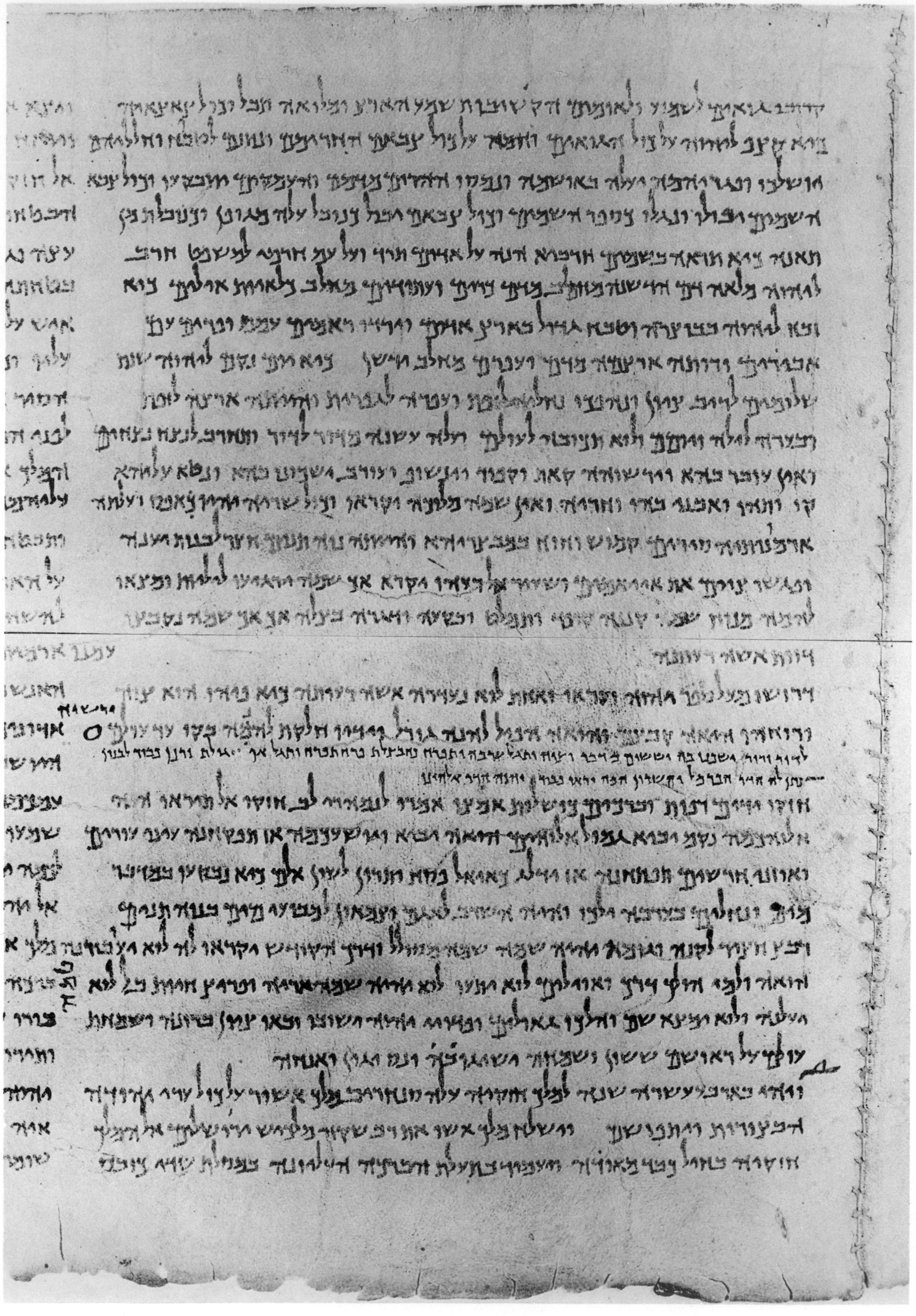

PLATE XXVIII

xxxiv 1 קרובו גואים לשמוע ולאומים הקשיבו תשמע הארץ ומלואה תבל וכול צאצאיה

2 כיא קצף ליהוה על כול הגואים וחמה על כול צבאם החרימם ונתנם לטבח 3 וחלליהם

יושלכו ופגריהמה יעלה באושמה ונמסו ההרים מדמם 4 והעמקים יתבקעו וכול צבא

השמים יבולו ונגלו כספר השמים וכול צבאם יבול כנבול עלה מגופן וכנובלת מן

5 תאנה 5 כיא תראה בשמים חרביא הנה על אדום תרד ועל עם חרמי למשפט 6 חרב

ליהוה מלאה דם הדשנה מחלב מדם כרים ועתודים מחלב כליאות אילים כיא

זבח ליהוה בבוצרה וטבח גדול בארץ אדום 7 וירדו ראמים עמם ופרים עם

אבירים ורותה ארצמה מדם ועפרם מחלב ידשן 8 כיא יום נקם ליהוה שנת

שלומים לריב ציון 9 ונהפכו נחליה לזפת ועפרה לגפרית והייתה ארצה לזפת

10 ובערה 10 לילה ויומם ולוא תכובה לעולם יעלה עשנה מדור לדור ותחרב לנצח נצחים

ואין עובר בהא 11 וירשוהה קאת וקפוד וינשוף ועורב ישכונו בהא ונטא עליהא

קו ותהו ואבני בהו 12 וחריה ואין שמה מלוכה יקראו וכול שריה יהיו כָאפס 13 ועלתה

ארמנותיה סירים קמוש וחוח במבצרייהא והייתה נוה תנים חצר לבנות יענה

14 ופגשו ציים את אייאמים ושעיר על רעהו יקרא אך שמה ירגיעו ליליות ומצאו

15 להמה מנוח 15 שמה קננה קופד ותמלט ובקעה ודגרה בצלה אך אך שמה נקבצו

דיות אשה רעותה

16 דרושו מעל ספר יהוה וקראו ואחת לוא נעדרה אשה רעותה כיא פיהו הוא צוה

ורוחהו הואה קבץ. 17 והואָה הפיל להנה גורל וידיו חלקת להֵמֵה בקו עד עולם　　ירשוהָ

xxxv לדור ודור ישכנו בה 1 יששום מדבר וציה ותגל ערבה ותפרח כחבצלת 2 פרח תפרח ותגל אף גילת ורנן כבוד לבנן

20 נתן לה הדר הכרמל והשרון המה יראו כבוד יהוה הדר אלהינו

3 חזקו ידים רפות וברכים כושלות אמצו 4 אמרו לנמהרי לב חזקו אל תיראו ה.ה.

אלוהכמה נקם יבוא גמול אלוהים הואה יבוא ויושעכמה 5 אז תפקחנה עיני עורים

ואוזני חרשים תפתחנה 6 אז ידלג כאיאל פסח ותרן לשון אלם כיא נבקעו במדבר

מים ונחלים בערבה ילכו 7 והיה השרב לאגם וצמאון למבועי מים בנוה תנים

25 רבץ חציר לקנה וגומה 8 והיה שמה שמה מסולל ודרך הקודש יקראו לה לוא יעבורנה　הוא

הואה ולמו הולך דרך ואוילים לוא יתעו 9 לוא יהיה שמה אריה ופריץ חיות בל לוא　פֿרֶ

יעלנה ולוא ימצא שם והלכו גאולים 10 ופדויי יהוה ישובו ובאו ציון ברינה ושמחת

עולם על ראושם ששון ושמחה ישיגובה ונס יגון ואנחה

xxxvi 1 ויהי בארבע עשרה שנה למלך חזקיה עלה סנחריב מלך אשור על כול ערי יהודה

30 הבצורות ויתפושם 2 וישלח מלך אשו את רב שקה מלכיש ירושלים אל המלך

חזקיה בחיל כבד מאודה ויעמוד בתעלת הברכה העליונה במסלת שדי כובס

3 ויצא אליו אליקים בן חלקיה אשר על הבית ושובנא הסופר
ויואח בן אסף המזכיר 4 ויואמר אליהמה רב שקה אמורו נא
אל חזקיה מׄלך יׄהׄוׄדׄהׄ כוה אמר המלך הגדול מלך אשור מה
הבטחון הזה אשר אתה בטחתה בו 5 אמרתה אך דבר שפתים
עצה וגבורא למלחמה עתה על מיא בטחתה כיא מרדתה ביא 6 הנה
בטחתה על משענת הקנה הרצוץ הזה על מצרים אשר יסמך
איש עליו ובא בכפו ונקבה כן פרעוה מלך מצרים לכול הבוטחים
עליו 7 וכיא תואמרו אלי על יהוה אלוהינו בטחנו הלוא הואה אשר
הסיר חזקיה את במותיו ואת מזבחותיו ויואמר ליהודה ולירושלים
לפני המזבח הזה תשתחוו בׄיׄרׄוׄשׄלׄיׄםׄ 8 ועתה התערבונא את אדוני
המלך אשור ואתנה לכה אלפים סוסים אם תוכל לתת לכה רוכבים
עליהמה 9 ואיכה תשיב את פני פחת אחד מעבדי אדוני הקטנים
ותבטח לכם על מצרים לרכב ולפרשים 10 ועתה המבלעדי יהוה עליתי
על הארץ הזואת להשחיתה יהוה אמר אלי עלה אל הארץ הזות
להשחיתה 11 ויואמרו אליו אליקים ושבנא ויואח דברנא עם עבדיך
עמנו ארמית כיא שומעים אנחנו ואל תדבר את הדברים האלה באוזני
האנשים היושבים על החומה 12 ויואמר רב שקה האליכמה ועל
אדוניכמה שלחני אדוני לדבר את הדברים האלה הלוא על האנשים
היושבים על החומה לאכול את חריהמה ולשתות את שיניהמה
עמכמה 13 וי. . .ד רב השקה ויקרא בקול גדול יהודית ויואמר
שמעו את דברי המלך הגדול מלך אשור 14 כוה אמר מלך אשור אל ישא
לכמה יחזקיה כיא לוא יוכל להציל אתכמה 15 ואל יבטח אתכמה חיזקיה
אל יהוה לאמור הצל יצילנו יהוה ולוא תנתן העיר הזואת ביד
מלך אשור 16 אל תשמעו אל חיזקיה כיא כוה אמר מלך אשור עשו אתי
ברכה וצאו אלי ואכולו איש את גפנו ואיש את תנתו ושתו איש מי
בורו 17 עד בואי ולקחתי אתכמה אל ארץ כארצכמה אל ארץ דגן
ותירוש ארץ לחם וכרמים 18 פ. יסית אתכמה חיזקיה לאמור
יהוה יצילנו ההציל. .לוהי הגואים איש ארצו מיד מלך אשור
19 איה אלוהי חמת וארפד איה אלוהי ספרוים וכיא ההצילו את
שומרון מידי 20 מיא בכול אלוהי הארצות האלה אשר הצילו את ארצם

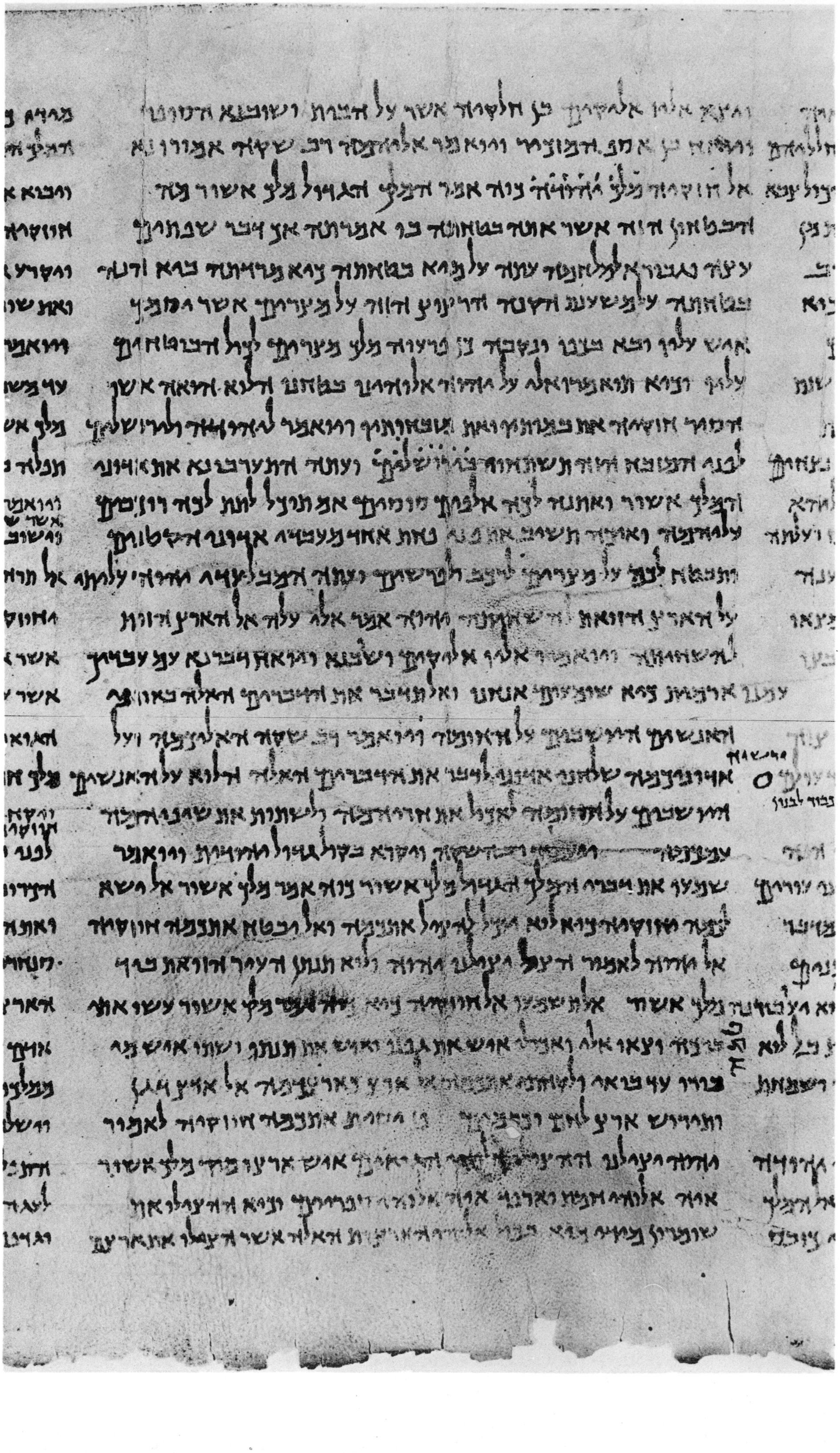

PLATE XXIX

מהרה בא יעל קרוב את ירושלם בנויו וראוישו נלוא עע אותוא ליבר ציא מצעות
הגיד אמר לאמר לוא מעודי

ויבא אליעזקן בן אלסור אשר על הבית ושובנא המופר ויואאבן אלפ המזעיר אל
הוזרא עורשא בשריים ואנושו לוא את דיברי ורב שקה ואמר צשמוע חוזהיר ועלי

ורשרע את בגויע וחנצם בשך חבוא בת מחוד ורשלח את אליקרמ אשר עלהבות
ואת שובנא הסוטר ואמ וסנו הדביורנשמ מתעמרמ בשקימ אל ושעוד בן אמ]ץ הנבוא

ואמרו אלון נוד אמר חזקואריאה אם צור ותוכחא ונאצר הירמ]אחר ציא באן בנימ]
עד משבר וכוח וכין אין לאדא אלא ושמע מחדה אלוודאצר את דיברי רב שקור אשר שלחו

מלך אשור אדונוף לחרג אלאהימ חו וחנצא כידבריד אשר שמע חארה אלוודאצ[ה] ונשא[ת
תעולד בעד דשארית דנמצא[מץ] כעיר דזואח גובואו עבדי והל אהוהצ[י]וד אל ושעאה

ורואמר לאדעה ושעראו עוד תואמרו אל אהרניצמר עוד אמר יהוה אל תורא מפנ הדיברי
אשר שמעתה אשר גרפו ערא עלי אשר חרדה נתן רוא]ביהא רצעו שמורע אל ושבאר] ער חר
ושוב רב שקה ומצא את מלך אשור נלאם על לבנר ציא שמע ציא נסע מלעיש ורשמע

אל תרחא אל תורחא]מלי נשא לאמר דעא לד]לחם אתצה ורשגע ומשלב ושלו מלאניצמ אל

וחוצויאר לאמר]עוד וזמרוד אלאורשאק פלך והרודה לאמור אל משוצה אל אלוראצ[ד
אשר אתה בטא בוא לאמר לוא תנתן ירושלמ בוד בכ אשור הנה אתור שמעתהא]ר]

אשר עשומלבו אשור על דאר צות להחרמפמ ואותד ונצל חד]הצ]רע אמן אלווא
האראת]ק אשר ושא]חמ]רא אבותא את גוון ואו אזן ודצב ובער עיצ אשר בונ]לשי אור

שלצ אפת ומלך ומלך ארנו ומלך לעיר וחמ]ירמ ונע ועוד ושמרון

ירצה חוזורו את וחמפר]ק בוד הפלאנימ]ד וישראב ויצלו בבת ודוד ורפנו]שר
ותוצור לפני יהוה ויתפלל חוזקואר אל יהוה לאמר יהוה צבאות אלווא ישראל ורשב

ודרובכמ אות ואחד ומאו ואלואהמ לתוצא לעול מעלינו האור אורד עושורא את]שע]רמ
ואת דארץ וכלא מאנכר אוענא ושמ]יד ומוד עתרצא וראור ושע]א אות]ל]עבר
מחוורב אשר שלא לורצ אלואהמ אר אפוע ואחד ודחרומ מלך אשור אתצול

דארצות ותמע את אלואחאמ]בור בא]ש צוא לא אלואהמ צוא אמ]צוא מעשה]הר]ה
אוצ עע ואבן וראבפ]תכד ועמד ואוד אלוחו]אושוען בומ]ון ורעעו צוד

ומלצ]מ]ה הארץ]ציא נא אות]אור אתוא אל]אוצ אלוראחמ לבצ]ור

ורשלמ ושע]ור]מ]צ]ן אביוצ עלמזוורחול לאמר]רוה יהוה]אמר מאור אלוורא]ישראל]אשר
חתן]בלה]מא אל]י אל מ]חורב בל]אשור ור]דרשרא אשר]]רבי חדוא עלון]בוד]לכ]ר
לעד]לה לצא בחולה בת צון]אורי]מ אריק]ד]דראישו]רנעאר בת]רר]שלם בך מיא]ארמ]ר
רגינותר ועלמאא]חדיתפ]וטאר צול]ום שא מ]רוך עני]וצה]אל צדוש]רשאל]בור

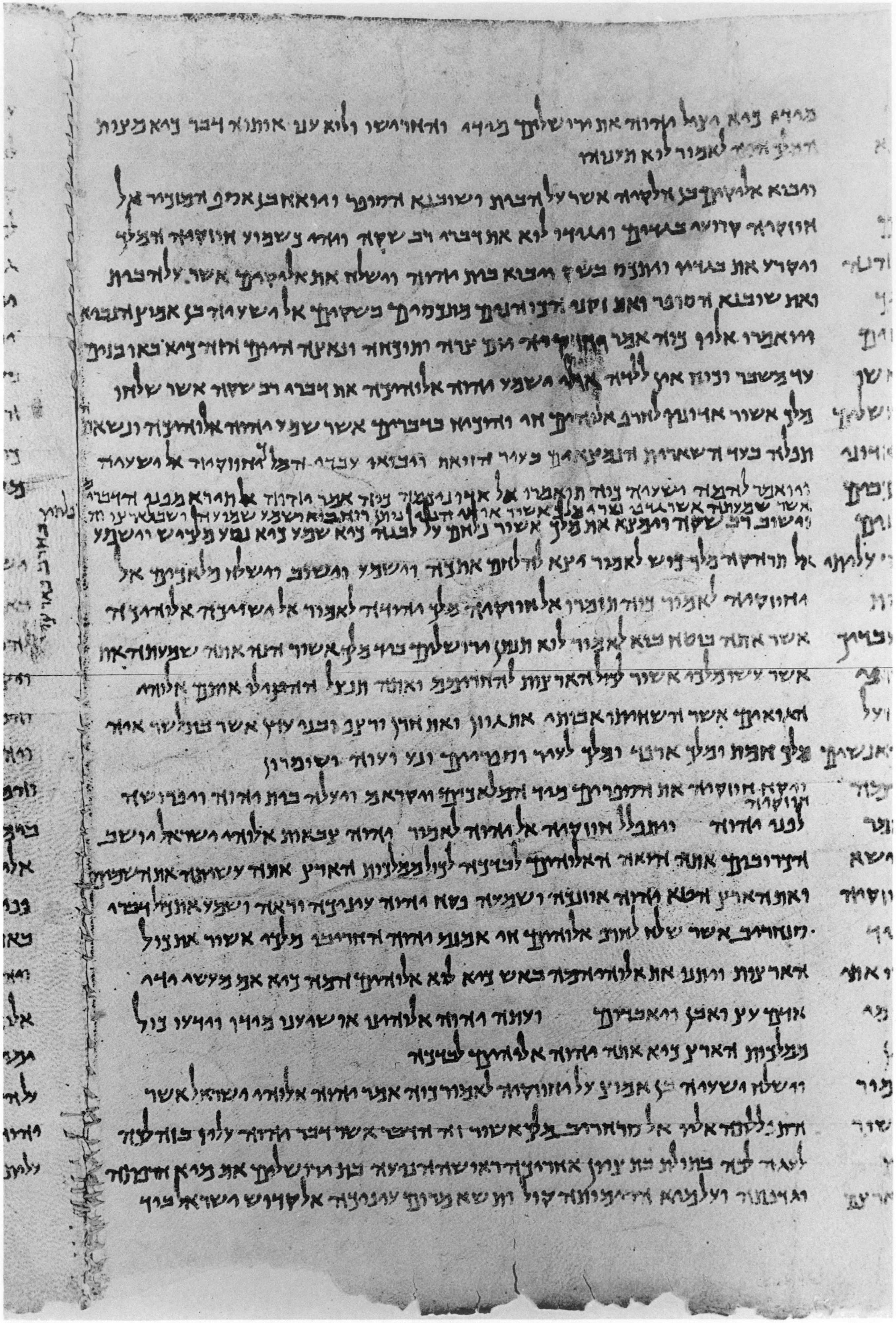

מידי כיא יציל יהוה את ירושלים מידי 21 והחרישו ולוא ענו אותוה דבר כיא מצות
המלך ה.ה לאמור לוא תענוהו
22 ויבוא אליקים בן חלקיה אשר על הבית ושובנא הסופר ויואח בן אסף המזכיר אל
xxxvii חיזקיה קרועי בגדים ויגידו לוא את דברי רב שקה 1 ויהי כשמוע חיזקיה המלך
ויקרע את בגדיו ויתכס בשק ויבוא בית יהוה 2 וישלח את אליקים אשר על הבית
ואת שובנא הסופר ואת זקני הכוהנים מתכסים בשקים אל ישעיה בן אמוץ הנביא
3 ויואמרו אליו כוה אמר יחזקיה יום צרה ותוכחה ונאצה היום הזה כיא באו בנים
עד משבר וכוח אין ללדה 4 אולי ישמע יהוה אלוהיכה את דברי רב שקה אשר שלחו
ה
מלך אשור אדוניו לחרף אלוהים חי והוכיח בדברים אשר שמע יהוה אלוהיכה ונשאת
ך
תפלה בעד השארית הנמצאים בעיר הזואת 5 ויבואו עבדי המל יחיזקיה אל ישעיה
ם
6 ויואמר להמה ישעיה כוה תואמרו אל אדוניכמה כוה אמר יהוה אל תירא מפני הדברי
אשר שמעתה אשר גדפו נערי מלך אשור אותי 7 הנני נותן רוח בוא ושמע שמועה ושב לארצו והפלתיו
8 וישוב רב שקה וימצא את מלך אשור נלחם על לבנה כיא שמע כיא נסע מלכיש 9 וישמע בחרב בארצו
אל תרהקה מלך כוש לאמור יצא להלחם אתכה וישמע וישוב וישלח מלאכים אל
יחיזקיה לאמור 10 כוה תומרו אל חיזקיה מלך יהודה לאמור אל ישייכה אלוהיכה
אשר אתה בוטח בוא לאמור לוא תנתן ירושלים ביד מלך אשור 11 הנה אתה שמעתה את
אשר עשו מלכי אשור לכול הארצות להחרימם ואתה תנצל 12 ההצילו אותם אלוהי
הגואים אשר השחיתו אבותי את גוזן ואת חרן ורצף ובני עדן אשר בתלשר 13 איה
מלך חמת ומלך ארפד ומלך לעיר וספרוים ונע ועוה ושומרון
14 ויקח חיזקיה את הספרים מיד המלאכים ויקראם ויעלה בית יהוה ויפרושה
חזקיה
לפני יהוה 15 ויתפלל חיזקיה אל יהוה לאמור 16 יהוה צבאות אלוהי ישראל יושב
הכרובים אתה הואה האלוהים לבדכה לכול ממלכות הארץ אתה עשיתה את השמים
ואת הארץ 17 הטא יהוה אוזנכה ושמעה פקח יהוה עיניכה וראה ושמע את כול דברי
סנחריב אשר שלח לחרף אלוהים חי 18 אמנם יהוה החריבו מלכי אשור את כול
הארצות 19 ויתנו את אלוהיהמה באש כיא לוא אלוהים המה כיא אם מעשי ידי
אדם עץ ואבן ויאבדום 20 ועתה יהוה אלוהינו אושיענו מידו וידעו כול
ממלכות הארץ כיא אתה יהוה[אלוהים]לבדכה
21 וישלח ישעיה בן אמוץ על יחיזקיה לאמור כוה אמר יהוה אלוהי ישראל אשר
התפללתה אליו אל סרחריב מלך אשור 22 זה הדבר אשר דבר יהוה עליו בזה לכה
לעגה לכה בתולת בת ציון אחריכה ראושה הניעה בת ירושלים 23 את מיא חרפתה
וגדפתה ועל מיא הרימותה קול ותשא מרום עיניכה אל קדוש ישראל 24 ביד

עבדיכה חרפתה אדוני ותומר ברוב רכבי אני עליתי מרום הרים ירכתי
לבנון ואכרותה קומת ארזיו מבחר ברושיו ואבוא מ. .ם קצו יער כרמליו 25 אני
קראתי ושתיתי מים זרים ואחריבה בכף פעמי כול יארי מצור 26 הלוא שמעתה
למרחוק אותה עשיתי מימי קדם יצרתיה עתה הביאותיה ותהי לשאוות
ש
גלים נצורים ערים בצורות 27 ויושביהנה קצרי יד חתו וישבו היו עשב שדה
י
ירק דשה חציר גגות הנשדף לפני קדם 28 קומכה ושבתכה וצאתכה ובואכה
א
ידעתיא ואת הרגזכה אלי 29 ושננכה עלה באוזני ושמתי חחי באפכה ומתגי
בשפאותיכה והשיבותיכה בדרך אשר בתה בה 30 וזה לכה האות אכולו
השנה ספיח ובשנה השנית שעיס ובשנה השלישית זרעו וקצורו ונטוע
פליטת בית יהודה
כרמים ואכולו פרים 31 ואספה והנמצא שורש למטה ועשה פרי מעלה 32 כיא
מציון תצא שארית ופליטא מירושלים קנאת יהוה צבאות תעשה זואת
33 לכן כוה אמר יהוה אל מלך אשור לוא יבוא אל העיר הזואת ולוא
ישפוך עליהא סוללה ולוא ירא שם חץ ולוא יקדמנה מגן 34 בדרך אשר בא
באה ישוב ואל העיר הזואת לוא יבוא נאום יהוה 35 וגנותי על העיר הזואת
להושיעה למעני ולמען דויד עבדי
36 ויצא מלאך יהוה ויך במחנה אשור מאה ושמונים וחמשא אלף וישכימו בבוקר
והנה כולם פגרים מיתים 37 ויסע וילך וישוב סנחריב מלך אשור וישב בנינוה
38 ויהי הואה משתחוה בבית נסרך אלוהיו ואדרמלך ושראיצר בניו הכהו בחרב
והמה נמ.טו ארץ הוררט וימלוך אסרחודן בניו תחתיו
1 בימים ההמה חלה יחזקיה למות ויבוא אליו ישעיה בן אמוץ הנביא ויואמר xxxviii
אליו כוה אמר יהוה צוי לביתכה כיא מית אתה ולוא תחיה 2 ויסוב יחזקיה
תה
פניו אל הקיר ויתפלל אל יהוה 3 ויואמר אנה יהוה זכורנא את אשר הלכתי לפניכה
באמת ובלבב שלם והטוב בעיניכה עשיתי ויבכא יחזקיה בכי גדול
4 ויהי דבר יהוה אל ישעיה לאמור 5 הלוך ואמרתה אל יחזקיה כוה אמר יהוה
אלוהי דויד אביכה שמעתי את תפלתכה וראיתי את דמעתכה הנני יוסף על
ימיכה חמש עשרה שנה 6 ומכף מלך אשור אצילכה ואת ה. . . הזואת וגנותי
על העיר הזואת למעני ולמען דויד עבדי 7 וזה לכה האות מאת יהוה אשר יעשה
יהוה את הדבר הזה אשר דבר 8 הנני משיב את צל המעלות אשר ירדה במעלות
עלות אחז את השמש אחורנית עשר מעלות ותשוב השמש עשר מעלות במעלות

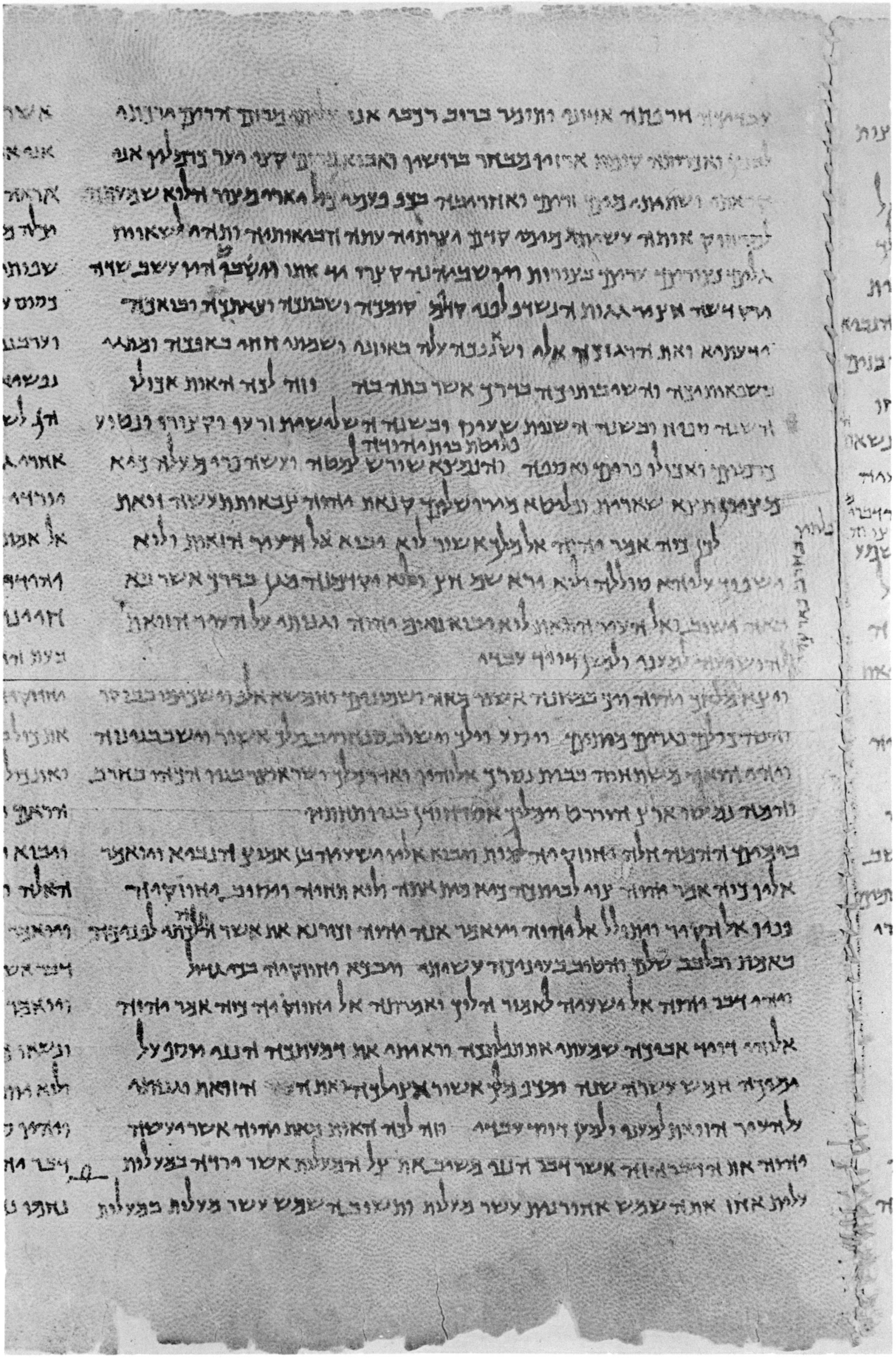

PLATE XXXI

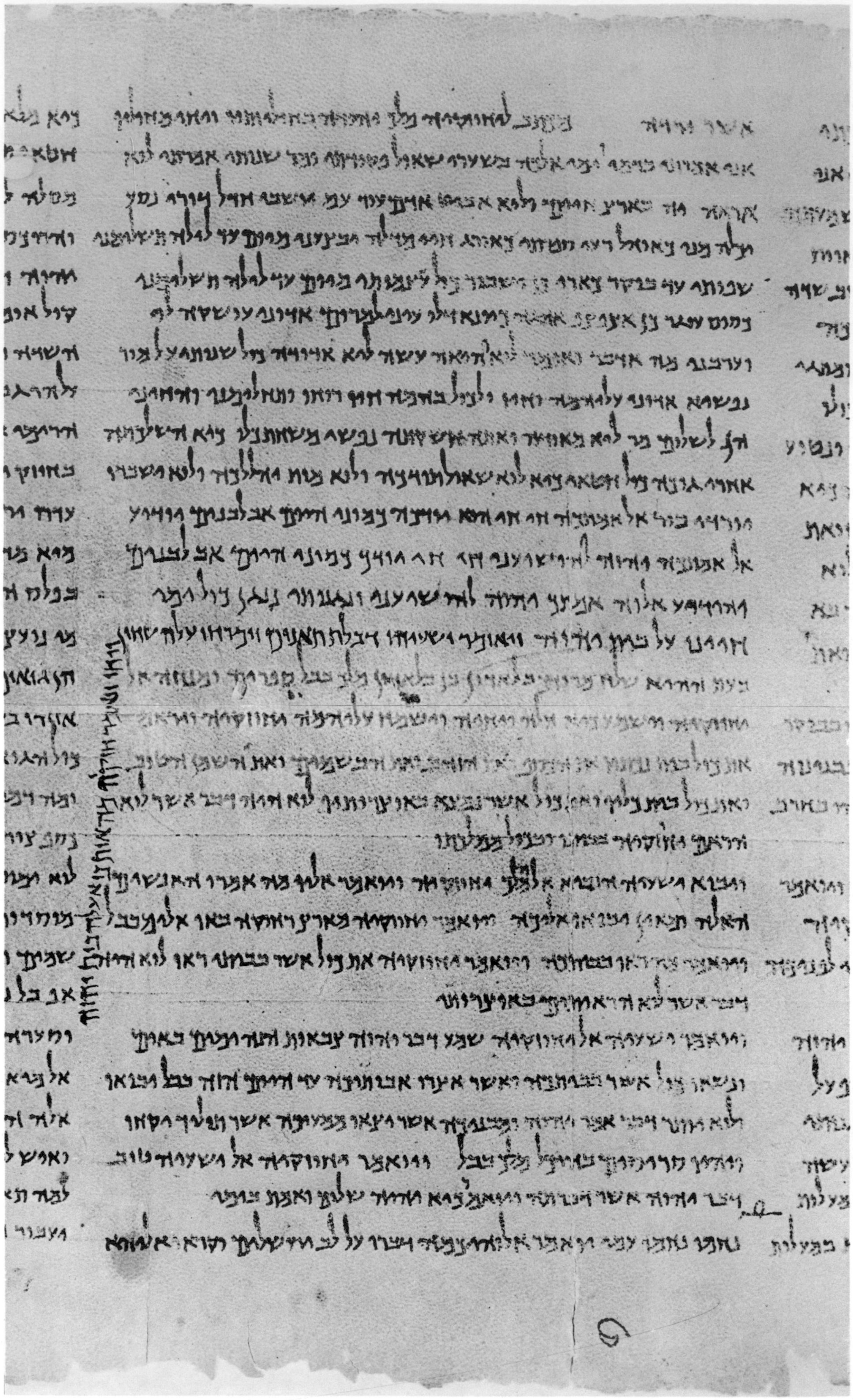

PLATE XXXII

אשר ירדה 9 מכתב ליחיזקיה מלך יהודה בחוליותיו ויחי מחוליו
10 אני אמרתי בדמי ימי אלכה בשערי שאול פקודתי י.ר שנותי 11 אמרתי לוא
אראה יה בארץ חיים ולוא אביט אדם עוד עם יושבי חדל 12 דורי נסע
וכלה מני כאוהל רעי ספרתי כאורג חיי מדלה יבצעני מיום עד לילה תשלימני
13 שפותי עד בוקר כארי כן ישבור כול עצמותי מיום עד לילה תשלימני
14 כסוס עוגר כן אצפצף אהגה כיונא דלו עיני למרום אדוני עושקה לי
וערבני 15 מה אדבר ואומר ליא הואה עשה ליא אדודה כול שנותי על מור
נפשיא 16 אדוני עליהמה יחיו ולכול בהמה חיו רוחו ותחלימני והחיני
17 הן לשלום מר ליא מאודה ואתה חשקתה נפשי משחת כלי כיא השלכתה
אחרי גוכה כול חטאי 18 כיא לוא שאול תודכה ולוא מות יהללכה ולוא ישברו
יורדי בור אל אמתכה 19 חי חי הוא יודכה כמוני היום אב לבנים יודיע
אל אמתכה 20 יהוה להושיעני חי חי יודך כמוני היום אב לבנים
והודיע אלוה אמתך יהוה להושיעני ונגנותי ננגן כול ימי
חיינו על בית יהוה 21 ויאומר ישעיהו דבלת תאנים וימרחו על השחין

ויחי 22 ויאמר חזקה מה אות כיא עלה בית יהוה

xxxix 1 בעת ההיא שלח מרודך בלאדון בן בלאדון מלך בבל ספרים ומנחה אל
יחיזקיה וישמע כיא חלה ויחיה 2 וישמח עליהמה יחיזקיה ויראם
את כול בית נכתיו את הכסף ואת הזהב ואת הבשמים ואת השמן הטוב
ואת כול בית כליו ואת כול אשר נמצא באוצרותיו לוא היה דבר אשר לוא
הראם יחזקיה בביתו ובכול ממלכתו
3 ויבוא ישעיה הנביא אל מלך יחיזקיה ויואמר אליו מה אמרו האנשים
האלה ומאין יבואו אליכה ויואמר יחיזקיה מארץ רחוקה באו אלי מבבל
4 ויואמר מה ראו בביתכה ויואמר יחיזקיה את כול אשר בביתי ראו לוא היה
דבר אשר לוא הראיתים באוצרותי
5 ויואמר ישעיה אל יחיזקיה שמע דבר יהוה צבאות 6 הנה ימים באים
ונשאו כול אשר בביתכה ואשר אצרו אבותיכה עד היום הזה בבל יביאו
ולוא יותר דבר אמר יהוה 7 ומבניכה אשר יצאו ממעיכה אשר תוליד יקחו
ויהיו סריסים בהיכל מלך בבל 8 ויואמר יחיזקיה אל ישעיה טוב
דבר יהוה אשר דברתה ויואמ כיא יהיה שלום ואמת בימי
xl 1 נחמו נחמו עמי יואמר אלוהיכמה 2 דברו על לב ירושלים וקראו אליהא

כיא מלא צבאה כיא נרצא עוונה כיא לקחה מיד יהוה כפלים בכול
חטאותיה 3 קול קורא במדבר פנו דרך יהוה וישרו בערבה
מסלה לאלוהינו 4 כול גי ינשא וכול הר וגבעה ישפלו והיה העקב למישור
והרוכסים לבקעה 5 ונגלה כבוד יהוה וראו כול בשר יחדיו כיא פיא
יהוה דבר
6 קול אומר קרא ואומרה מה אקרא כול הבשר חציר וכול חסדיו כציץ
כי רוח .... נשבה בוא
השדה (7) יבש חציר נבל ציץ ודבר אלוהינו יקום לעולם הכן חציר העם
9 על הר גבה עלי לכי מבשרת ציון הרימי בכוח קולך מבשרת ירושלים
ו
הרימי אל תיראי אמרי לערי יהודה הנה אלוהכמה 10 הנה אדוני יהוה
בחוזק יבוא וזרועו משלה לוא הנה שכרו אתו ופעלתיו לפניו 11 כרועה
עדרו ירעה בזרועו יקבץ טלים ובחיקוה ישא עולות ינהל
12 מיא מדד בשועלו מי ים ושמים בזרתו תכן וכל בשליש עפר הארץ ושקל
איש
בפלס הרים וגבעות במוזנים 13 מיא תכן את רוח יהוה ועצתו יודיענה 14 את
מי נועץ ויבינהו וילמדהו באורח משפט וילמדהו דעת ודרך תבונות יודי..
15 הן גואים כמר מדלי וכשחק מזנים נחשבו הן איים כדק ייטול 16 ולבנון
אין די בער וחיתו אין די עולה
17 כול הגואים כאין נגדו וכאפס ותהוו נחשבו לו 18 ואל מיא תדמיוני אל
ומה דמות תערוכי לי 19 הפסל ויעשה מסך חרש וצורף בזהב וירקענו ורתקות
כסף צורף 20 המסכן תרומה עץ לוא ירבק יבחר חרש חכם ובשקלו להוכין פסל
לוא ימוט 21 הלוא תדעו הלוא תשמעו הלוא הוגד מרוש לכמה הלוא הבינותמה
מוסדות ארץ 22 היושב על חוג הארץ ויושביהא כחגבים הנוטה כדוק
שמים וימתחם כאוהל לשבת 23 הנותן רוזנים לאין שופטי ארץ כתהו עשה
נ
24 אף בל נטעו אף בל זרעו אף בל שרשו בארץ גזעם גם עשף בהמה וייבשו
וסערה כקש תשאם
25 אל מיא תדמיוני ואשוה יואמר קדוש 26 שאו מרום עיניכמה וראו מי ברא
אלה המוציא במספר צבאם לכולם בשם יקרא מרוב אונים ואמץ כוחו
ואיש לוא נעדר
27 למה תאומר יעקוב ותדבר ישראל נסתרה דרכי מיהוה ומאלוהי משפטי
יעבור 28 הלוא ידעתה אם לוא שמעתה אלוהי עולם יהוה בורא קצוות הארץ

8 יבש חציר נבל צ.ץ ודבר אלוהינו

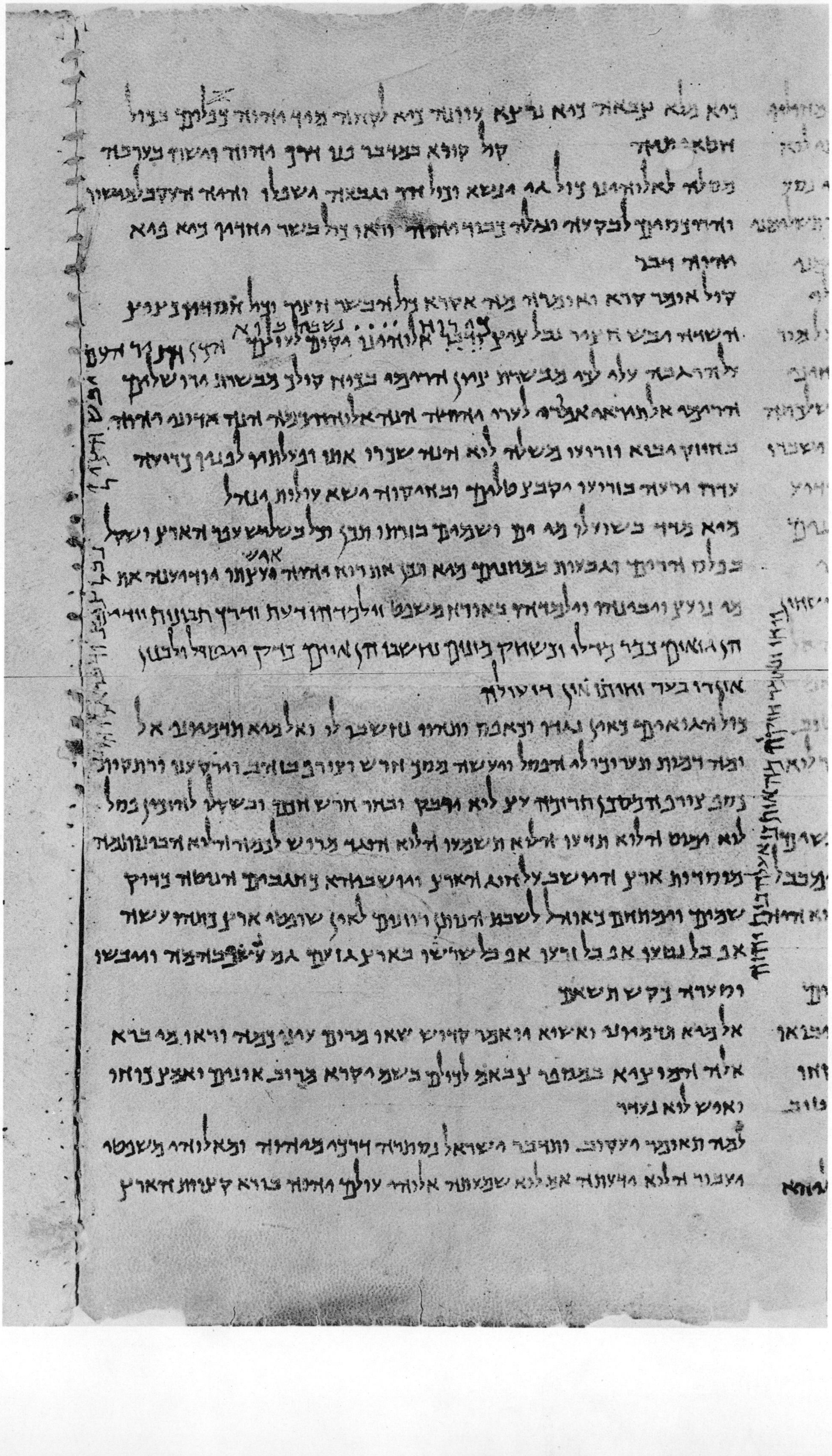

PLATE XXXIII

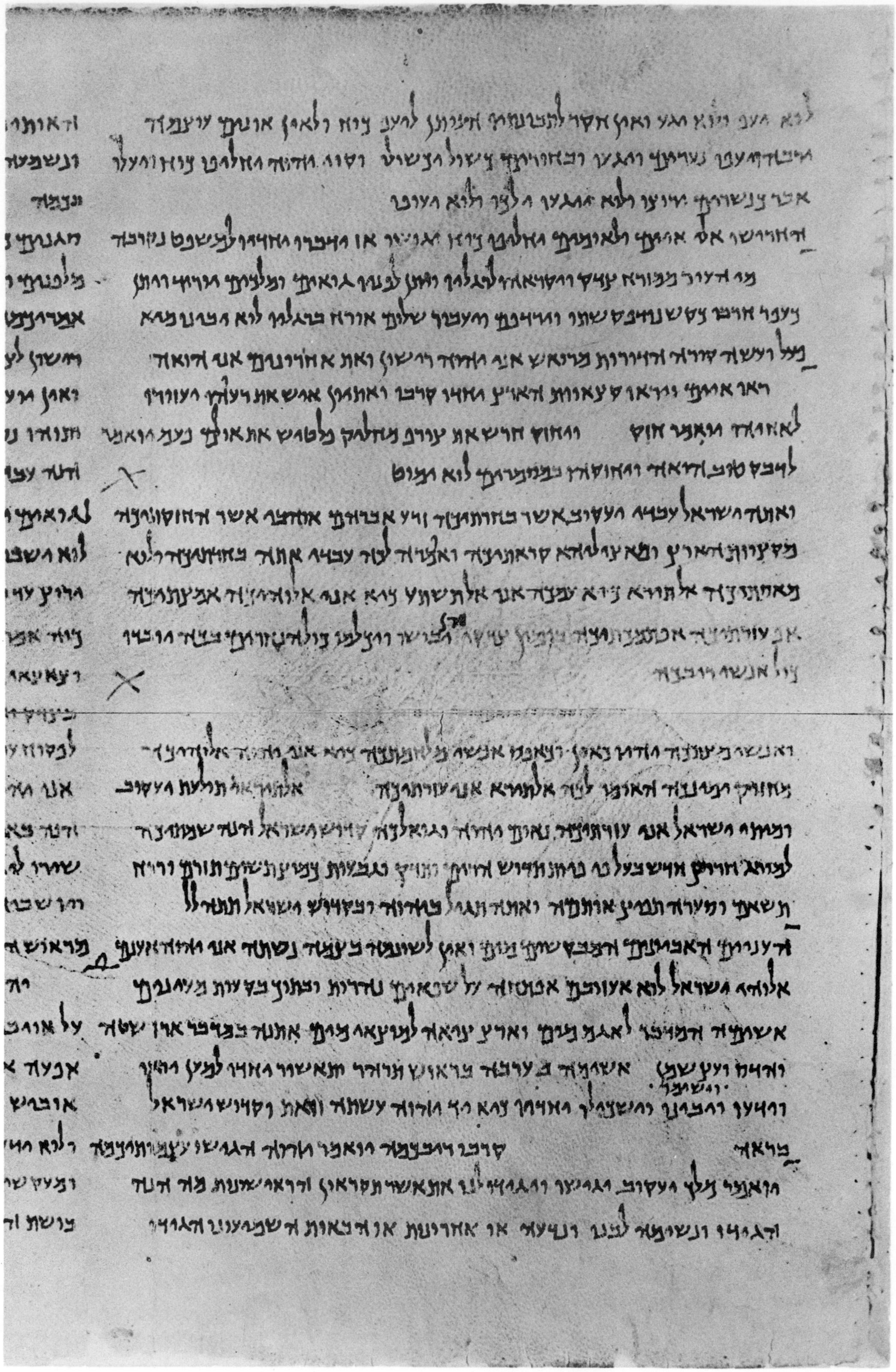

PLATE XXXIV

לוא יעף ולוא יגע ואין חקר לתבונתיו 29 הנותן ליעף כוח ולאין אונים עוצמה
ירבה 30 ויעפו נערים ויגעו ובחורים כשול יכשולו 31 וקוי יהוה יחליפו כוח ויעלו
אבר כנשרים ירוצו ולוא ייגעו ילכו ולוא יעופו
xli 1 החרישו אלי איים ולאומים יחליפו כוח יגושו אז ידברו יחדיו למשפט נקרבה
2 מי העיר ממזרח צדק ויקראהו לרגליו ויתן לפניו גואים ומלכים יוריד ויתן
כעפר חרבו כקש נידף קשתו 3 וירדפם ויעבור שלום אורח ברגליו לוא יבינו 4 מיא
פעל ועשה קורה הדורות מרואש אני יהוה רישון ואת אחרונים אני הואה
5 ראו איים ויראו קצאוות הארץ יחדו קרבו ואתיון 6 איש את רעהו יעזורו
לאחיהו יואמר חזק 7 ויחזק חרש את צורף מחליק פלטיש את אולם פעם יואמר
לדבק טוב הואה ויחזקהו במסמרים לוא ימוט
8 ואתה ישראל עבדי יעקוב אשר בחרתיכה זרע אברהם אוהבי 9 אשר החזקתיכה
מקצוות הארץ ומאציליהא קראתיכה ואמרה לכה עבדי אתה בחרתיכה ולוא
מאסתיכה 10 אל תירא כיא עמכה אני אל תשתע כיא אני אלוהיכה אמצתיכה
הן
אף עזרתיכה אף תמכתיכה בימין צדקי 11 יבושו ויכלמו כול הנחרים בכה יובדו
כול אנשי ריבכה

12 ואנשי מצתכה יהיו כאין וכאפס אנשי מלחמתכה 13 כיא אני יהוה אלוהיכה
מחזיק ימינכה האומר לכה אל תירא אני עזרתיכה 14 אל תיראי תולעת יעקוב
ומיתי ישראל אני עזרתיכה נאום יהוה וגואלכה קדוש ישראל 15 הנה שמתיכה
למורג חרוץ חדש בעל פי פיות תדוש הרים ותדק וגבעות כמוץ תשים 16 תזרם ורוח
תשאם וסערה תפיץ אותמה ואתה תגיל ביהוה ובקדוש ישראל תתהלל
17 העניים האביונים המבקשים מים ואין לשונמה בצמה נשתה אני יהוה אענם
אלוהי ישראל לוא אעזובם 18 אפתחה על שפאים נהרות ובתוך בקעות מעינים
אשימה המדבר לאגם מים וארץ ציאה למוצאי מים 19 אתנה במדבר ארז שטה
והדס ועץ שמן אשימה בערבה ברואש תרהר ותאשור יחדו 20 למען יראו
·וישימו·
וידעו ויבינו וישכילו יחדיו כיא יד יהוה עשתה זואת וקדוש ישראל
בראה 21 קרבו ריבכמה יואמר יהוה הגישו עצמותיכמה
יואמר מלך יעקוב 22 יגישו ויגידו לנו את אשר תקראון הראישונות מה הנה
הגידו ונשימה לבנו ונדעה או אחרונות או הבאות השמיעונו 23 הגידו

האותיות לאחור ונדעה כיא אלוהים אתמה אף תיטיבו ותרעו
ונשמעה ונראה יחדיו 24 הנה אתמה מאין ופועלכמה תועבה יבחר
בכמה 25 העירות מצפון ויאתיו ממזרח שמש ויקרא בשמו ויבואו
סגנים כמו חמר וכמו יוצר וירמוס טיט 26 מיא הגיד מרוש ונדעה
מלפנים ונאומרה צדק אף אין מגיד אף אין משמיע אף אין שומע
אמריכמה
27 רישון לציון הנה הנומה ולירושלים מבשר אתן 28 ואראה ואין איש ומאלה
ואין יועץ אשאלם וישיבו דבר 29 הנה כולם אין ואפס מעשיהמה רוח
ותוהו נסכיהמה
xlii 1 הנה עבדי אתמוכה בו בחירי רצתה נפשי נתתי רוחי עליו ומשפטי
לגואים יוציא 2 לוא יזעק ולוא ישא ולוא ישמיע בחוץ קולו 3 קנה רצוץ
לוא ישבור ופשתה כהה לוא יכבה לאמת יוציא משפט 4 ולוא יכהה ולוא
ירוץ עד ישים בארץ משפט ולתורתיו איים ינחילו
5 כוה אמר האל האלוהים בורה השמים ונוטיהמה רוקע הארץ
וצאצאיה נותן נשמה לעם עליהא ורוח להולכים בה 6 אני קרתיכה
בצדק ואחזיקה בידכה ואצורכה ואתנכה לברית עם לאור גואים
7 לפקוח עינים עורות להוציא ממ.גר אסיר ומבית כלא יושבי חושך
8 אני יהוה הואה ושמי וכבודי לאחר לוא אתן ותהלתי לפסילים 9 הרישונות
הנה באו והחדשות אני מגיד בטרם תצמחנה אשמיע אתכמה
10 שירו ליהוה שיר חדש ותהלתו מקצה הארץ יורדי הים ומלאו איים
ויושביהם 11 ישא מדבר עריו וח.רים תשב קדר וירונו יושבי סלע
מראוש הררים יצריחו 12 ישימו ליהוה כבוד ותהלתו באיים יגידו
13 יהוה כגבור יצא כאיש מלחמות יעיר קנאה יודיע אף יצריח
על אויביו יתגבר 14 אחשיתי אף מעולם אחריש אתאפקה כיולדה
אפעה אשמה ואשופה יחדיו 15 אחריבה הרים וגבעות וכול עשבם
אוביש ושמתי נהרות לאיים ואגמים אוביש 16 והוליכתי עורים בדרך
ולוא ידעו בנתיבות לוא ידעו אדריכם אשימה מהשוכים לפניהמה לאור
ומעקשים למישור אלה הדברים עשיתים ולוא עזבתים 17 נסגו אחור יבושו
בושת הבוטחים בפסל האמרים למסכה אתמה אלוהינו

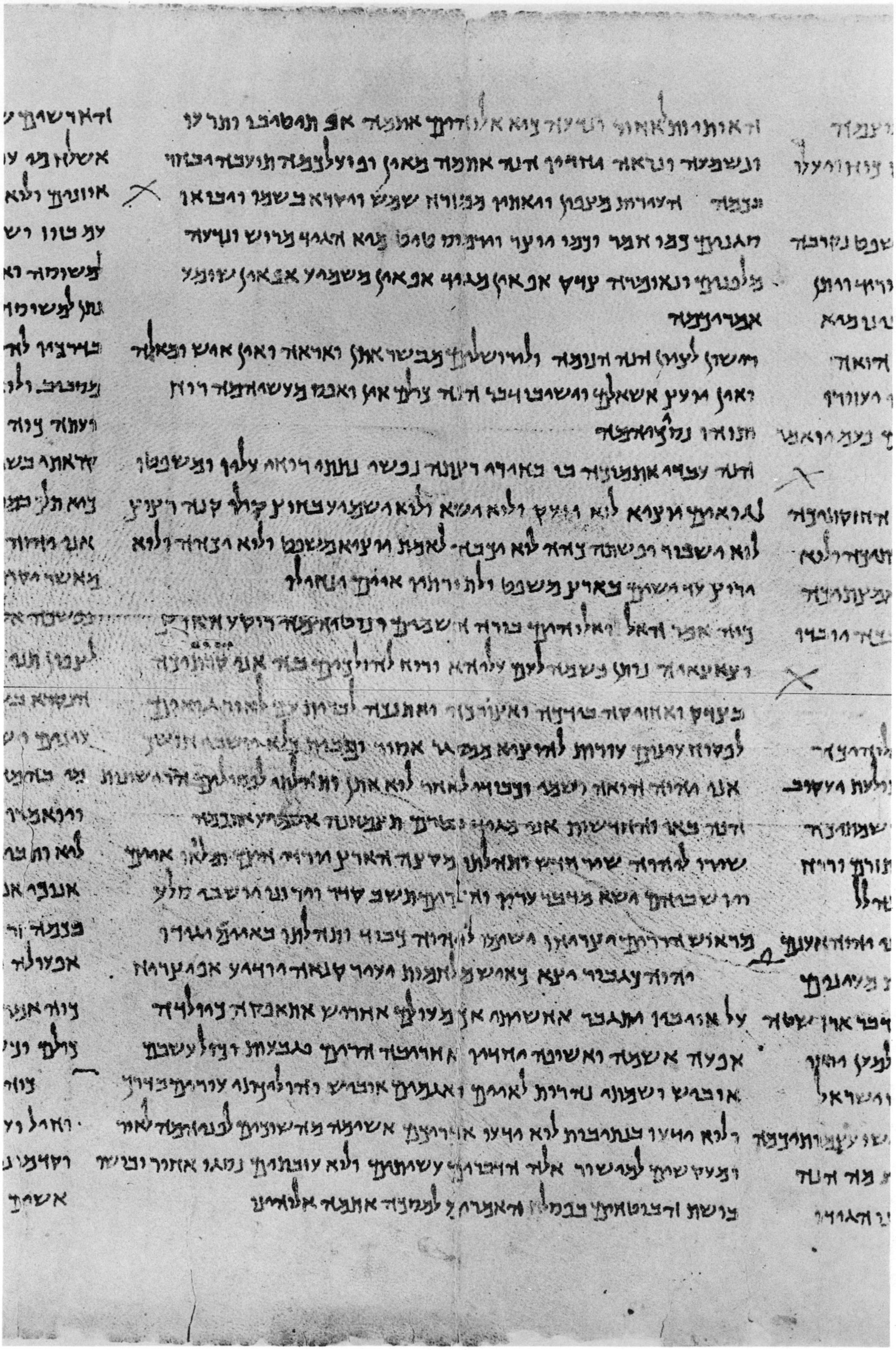

PLATE XXXV

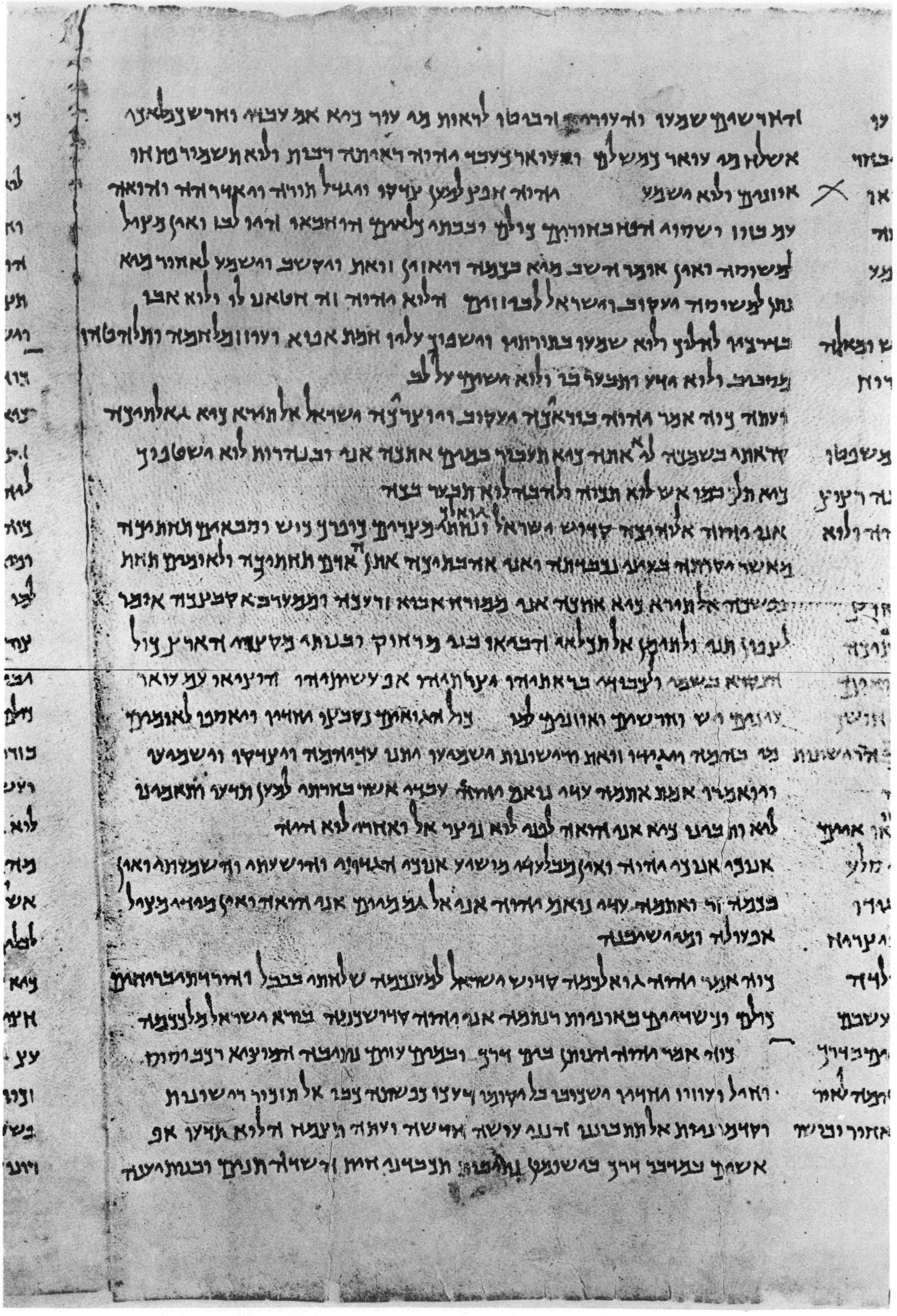

PLATE XXXVI

18 החרשים שמעו והעורי. הביטו לראות 19 מי עור כיא אם עבדי וחרש כמלאכי
אשלח מי עואר כמשלם ועואר כעבד יהוה 20 ראיתה רבות ולוא תשמור פתחו
אוזנים ולוא ישמע 21 יהוה חפץ למען צדקו ויגדל תורה ויאדרהה 22 והואה
עם בזוז ושסוי הפח בחורים כולם ובבתי כלאים הוחבאו היו לבז ואין מציל
למשיסה ואין אומר השב 23 מיא בכמה ויאזין זואת ויקשב וישמע לאחור 24 מיא
נתן למשיסה יעקוב וישראל לבוזזים הלוא יהוה זה חטאנו לו ולוא אבו
בדרכיו להלוך ולוא שמעו בתורתיו 25 וישפוך עליו חמת אפוא ועוזז מלחמה ותלהטהו
מסביב ולוא ידע ותבער בו ולוא ישים על לב
xliii 1 ועתה כוה אמר יהוה בוראכה יעקוב ויוצרכה ישראל אל תירא כיא גאלתיכה
קראתי בשמכה לי א אתה 2 כיא תעבור במים אתכה אני ובנהרות לוא ישטפוך
כיא תלך במו אש לוא תכוה ולהבה לוא תבער בכה
גואלך
3 אני יהוה אלוהיכה קדוש ישראל ונתתי מצרים כופרך כוש וסבאים תחתיכה
4 מאשר יקרתה בעיני נכבדתה ואני אהבתיכה אתן ה אדם תחתיכה ולאומים תחת
נפשכה 5 אל תירא כיא אתכה אני ממזרח אביא זרעכה וממערב אקבצכה 6 אומר
לצפון תני ולתימן אל תכלאי הביאי בני מרחוק ובנותי מקצוי הארץ 7 כול
הנקרא בשמי ולכבודי בראתיהו יצרתיהו אף עשיתיהו 8 הוציאו עם עואר
עינים יש וחרשים ואוזנים למו 9 כול הגואים נקבצו יחדיו ויאספו לאומים
מי בהמה ויגידו זואת ורישונות ישמיעו יתנו עדיהמה ויצדקו וישמיעו
ויואמרו אמת 10 אתמה עדי נואם יהוה עבדי אשר בחרתי למען תדעו ותאמינו
ליא ותבינו כיא אני הואה לפני לוא נוצר אל ואחרי לוא היה
11 אנוכי אנוכי יהוה ואין מבלעדי מושיע 12 אנוכי הגדתי והושעתי והשמעתי ואין
בכמה זר ואתמה עדי נואם יהוה אני אל 13 גם מיום אני הואה ואין מידי מציל
אפעולה ומי ישיבנה
14 כוה אמר יהוה גואלכמה קדוש ישראל למענכמה שלחתי בבבל והורדתי בריחים
כולם וכשדיים באוניות רנתמה 15 אני יהוה קדושכמה בורא ישראל מלככמה
16 כוה אמר יהוה הנותן בים דרך ובמים עזים נתיבה 17 המוציא רכב וסוס
וחיל ועיזוז יחדיו ישכובו בל יקומו דעכו כפשתה כבו 18 אל תזכור רישונות
וקדמוניות אל תתבוננו 19 הנני עושה חדשה ועתה תצמח הלוא תדעו אף
אשים במדבר דרך בישימון נתיבים 20 תכבדני חית השדה תנים ובנות יענה

כיא אתן במדבר מים נהרות   בישימון להשקות עמי ובחירי 21 עם זה יצרתי לי ותהלתי יואמרו
22 ולוא אותי קראתה יעקוב כיא יגעתה ביא ישראל 23 לוא הביאותה לי שה לעולה ובזבחיכה
לוא כבדתני ולוא עשיתה ליא מנחה ולוא הוגעתיכה בלבונה 24 לוא קניתה ליא בכסף קנה
וחלב זבחיכה לוא הרויתני אך העבדתני בחטאותיכה הוגעתני בעונכה 25 אנוכי אנוכי
הואה מוחה פשעכה למעני וחטאתיכה לוא אזכור עוד 26 הזכירוני נשפטה יחדיו ספר אתה למען
תצדק 27 אביכה הרישון חטא ומליציכה פשעו ביא 28 ואחללה שרי קודש ואתן לחרם יעקוב
xliv וישראל לגודפים   1 ועתה שמע יעקוב עבדי וישראל בחרתי בוא
2 כוה אמר יהוה עושכה ויוצרכה מבטן ועוזרכה אל תירא עבדי יעקוב וישורון בחרתי בוא
כן
3 כיא אצק מים על צמא ונוזלים על יבשה אצק רוחי על זרעכה וברכתי על צאצאיכה 4 וצמחו כבין
.ציר כערבים על יובלי מים 5 זה יואמר ליהוה אני וזה יקרא בשם יעקוב וזה יכתוב ידוהי
ליהוה ובשם ישראל יכנה
6 כוה אמר יהוה מלך ישראל וגואליו יהוה צבאות שמו אני רישון ואני אחרון ומבלעדי אין אלוהים
7 ומיא כמוני יקרא ויגידה ויעריכהה לוא משומי עם עולם ואותיות יואמר אשר תבואינה יגידו
למו 8 אל תפחדו ואל תיראו הלוא מאז השמעתיכה והגדתי ואתמה עדי היש אלוה מבלעדי ואין
המה
צור בל ידעתי 9 יוצר פסל כולמה תהו וחמודיהמה בל יועילו ועדיהמה בל יראו בל ידעו למען
יבושו 10 מי יצר אל ופסל נסך לבלתי הועיל 11 הנה כול חובריו יבושו וחרשים המה מאדם יתקבצו
ו
כולם יעמודו ופחדו יבושו יחדיו 12 חרש ברזל מעצד ופעל בפחם ובמקבות יצורהו ויפעלהו
בזרוע כוחוה גם רעב ואין כוח לוא שותה מים וייעף 13 חרש עצים נטהו קו יתארהו בשרד
יעשהו במקצעות ובמחגה יתארהו ויעשהו כתבנית איש כתפארת אדם לשבת בית 14 לכרות
לוא ארזים ויקח תרז. . .לון ויאמץ לוא בעצי יער נטע אורן וגשם יגדל 15 והגה לאדם לבער ויקח
מהמה ויחום אף ישיק ואפה לחם או יפעל אל וישתחו עשהו פסל ויסגוד למו 16 חציו שרף במו
ועל
אש וחציו בשר ויאכל ועל גחליו ישב ויחם ויואמר האח חמותי נגד אור 17 ושריתו לאל עשה
לבלוי עץ יסגוד לו וישתחוה ויתפלל אליו ויואמר הצילני כיא אלי אתה 18 לוא ידעו ולוא יבינו
כיא טח מראות עיניהמה מהשכל לבותמה 19 ולוא ישיב אל לבו ולוא דעת ולוא תבונה לאמור
חציו שרפתי במו אש ואף אפיתי על גחליו לחם ואצלה בשר ואוכלה ויתרו לתועבות אעשה לבלוי
עץ אסגוד 20 רועה אפר לב הותל הטהו ולוא יוכיל נפשו ולוא יואמר שקר בימיני
21 זכור אלה יעקוב ישראל כיא עבדי אתה יצרתיכה עבד לי אתה ישראל לוא תשאני 22 מחיתי כעב
פשעכה וכענן חטאותיכה שובה אלי כיא גאלתיכה
23 רונו שמים כיא עשה יהוה הריעו תחתיות הארץ פצחו הרים רינה יער וכול עץ בו כיא גאל יהוה

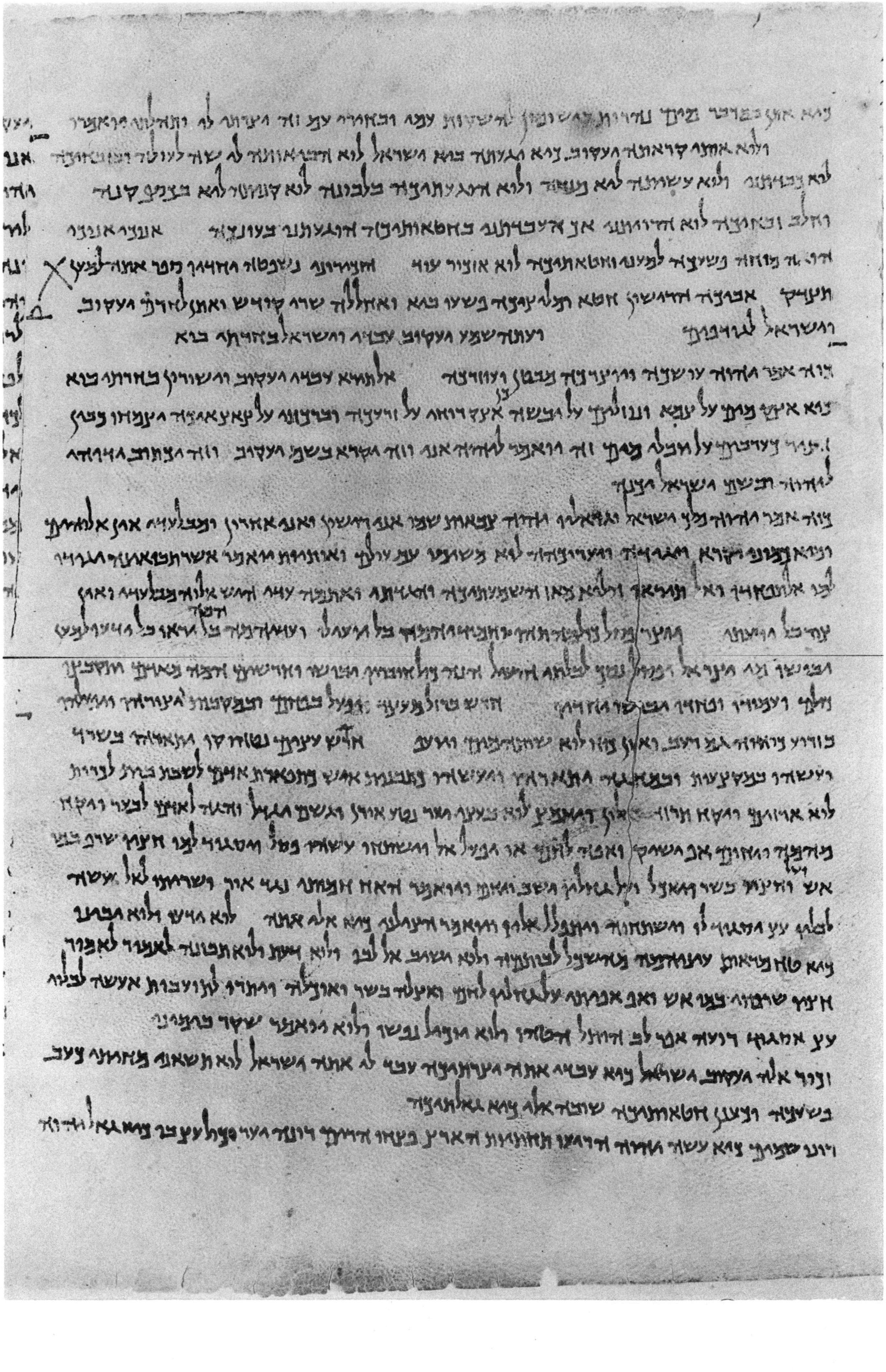

PLATE XXXVII

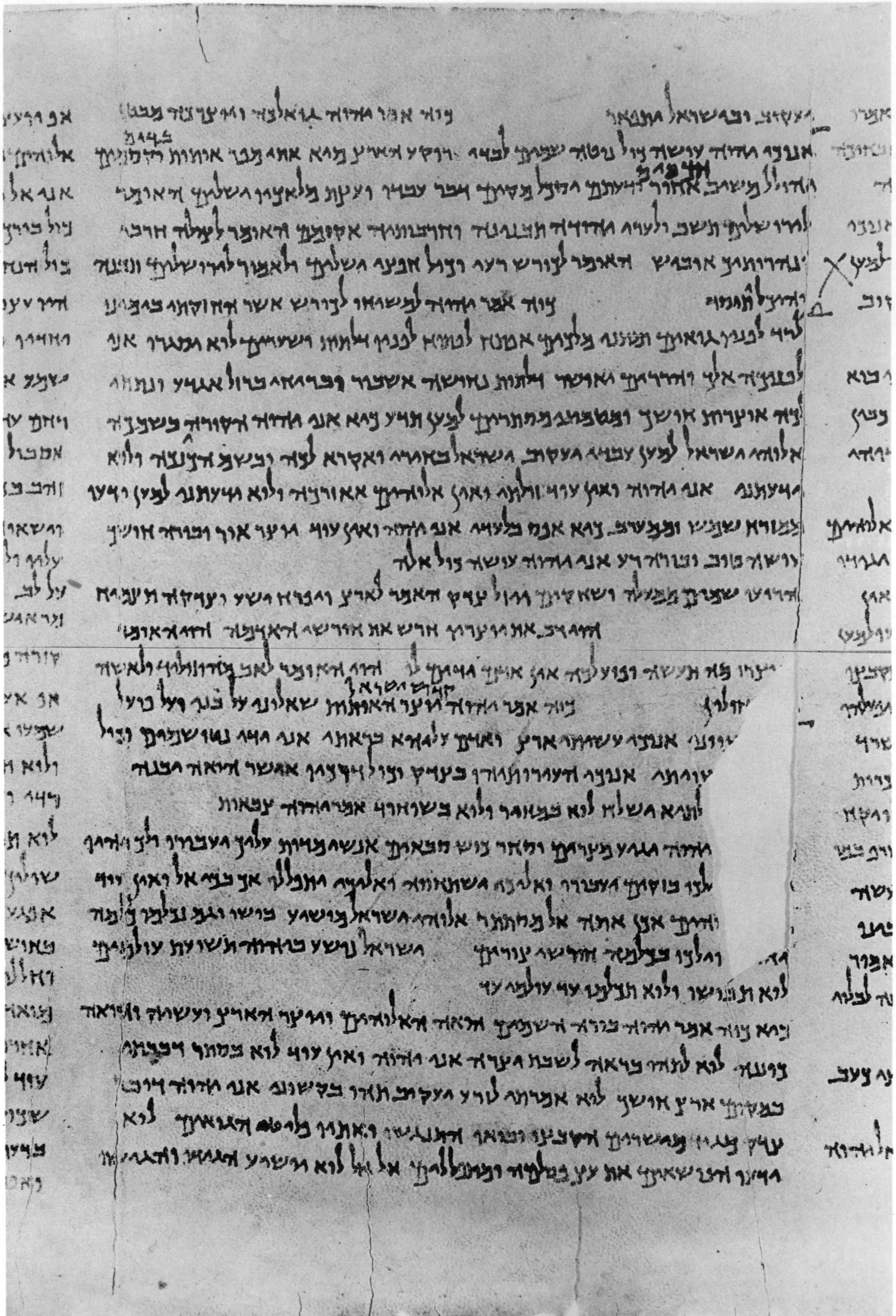

PLATE XXXVIII

יעקוב ובישראל יתפאר 24 כוה אמר יהוה גואלכה ויוצרכה מבט.
בדים
אנוכי יהוה עושה כול נוטה שמים לבדי רוקע הארץ מיא אתי 25 מפר אותות וקסמים
חכמים
יהולל משיב אחור ודעתם יסכל 26 מקים דבר עבדו ועצת מלאכיו ישלים האומר
לירושלים תשב ולערי יהודה תבנינה וחרבותיה אקומם 27 האומר לצולה חרבי
]נהרותיך אוביש 28 האומר לכורש רעי וכול חפצי ישלים ולאמור לירושלים תבנה
xlv והיכל תוסד 1 כוה אמר יהוה למשיחו לכורש אשר החזקתי בימינו
לרד לפניו גואים ומתני מלכים אפתח לפתוח לפניו דלתות ושערים לוא יסגרו 2 אני
לפניכה אלך והררים יאושר דלתות נחושה אשבור ובריחי ברזל אגדע 3 ונתתי
לכה אוצרות חושך ומטמוני מסתרים למען תדע כיא אני יהוה הקורה בשמכה
אלוהי ישראל 4 למען עבדי יעקוב ישראל בחירי ואקרא לכה ובשם הכנכה ולוא
ידעתני 5 אני יהוה ואין עוד זולתי ואין אלוהים אאזרכה ולוא ידעתני 6 למען ידעו
ממזרח שמש וממערב כיא אפס בלעדי אני יהוה ואין עוד 7 יוצר אור ובורה חושך
עושה טוב ובורה רע אני יהוה עושה כול אלה
8 הריעו שמים ממעלה ושחקים ויזל צדק האמר לארץ ויפרח ישע וצדקה תצמיח
9 הוי רב את יוצריו חרש את חורשי האדמה הוי האומר
]יצרו מה תעשה ופועלכה אין אדם ידים לו 10 הוי האומר לאב מה תוליד ולאשה
קדוש ישראל
]חילין 11 כוה אמר יהוה יוצר האותות שאלוני על בני ועל פועל
]צווני 12 אנוכי עשיתי ארץ ואדם עליהא בראתי אני ידי נטו שמים וכול
]צויתי 13 אנוכי העירותיהו בצדק וכול דרכיו אישר הואה יבנה
]תיא ישלח לוא במחיר ולוא בשוחוד אמר יהוה צבאות
14] יהוה יגיע מצרים וסחר כוש סבאים אנשי מדות עליך יעבורו ולך יהיו
]ילכו בזקים יעבורו ואליכי ישתחווה ואליכי יתפללו אך בכי אל ואין .וד
]והים 15 אכן אתה אל מסתתר אלוהי ישראל מושיע 16 בושו וגם נכלמו כלמה
יח[ ]וילכו בכלמה חורשי צירים 17 ישראל נושע ביהוה תשועת עולמים
לוא תבושו ולוא תכלמו עד עולמי עד
18 כיא כוה אמר יהוה בורה השמים הואה האלוהים ויוצר הארץ ועשיה והואה
כוננה לוא לתהו בראה לשבת יצרה אני יהוה ואין עוד 19 לוא בסתר דברתי
במקום ארץ חושך לוא אמרתי לזרע יעקוב תהו בקשוני אני יהוה דובר
צדק מגיד מישרים 20 הקבצו ובואו התנגשו ואתיו פליטי הגואים לוא
ידעו הנושאים את עץ פסלמה ומתפללים אל אל לוא יושיע 21 הגידו והגישו

אף יועצו יחדיו מיא השמיע זואת מקדם מאז הגידה הלוא אני יהוה ואין עוד
אלוהים מבלעדי אל צדיק ומושיע ואין זולתי 22 פנו אלי והושיעו כול אפסי ארץ כיא
אני אל ואין עוד 23 ביא נשבעתי יצא מפיא צדקה דבר ולוא ישוב כיא ליא תכרע
כול בורך ותשבע כול לשון 24 אך ביהוה ליא יאמר צדקות ועוז עדיו יבואו יבושו
xlvi כול הנחרים בו 25 ביהוה יצדקו ויתהללו כול זרע ישראל 1 כרע בל קרס נבו
היו עצביהמה לחיה לבהמה נשאותיכמה עמוסות משמיעיהמה 2 קרסו כרעו
יחדיו ולוא יוכלו מלט משא ונפשמה בשבי הלכו
3 שמע אלי בית יעקוב וכול שארית בית ישראל עומסים ממני בטן ונושאים מני
רחם 4 עד זקנה אני הואה ועד שיבה אני אסבול אני עשיתי ואני אשא ואנוכי
אסבול ואמלטה 5 למי תדמיוני ותשוי ותמשלוני ואדמה 6 הזלים
זהב מכיס וכסף בקנה ישקולו ישכורו צורף ויעשה אל ויסגודו אף ישתחו
7 וישאוהו על כתף יסבלוהו ויניחוהו תחתיו ויעמוד ממקומו לוא ימיש אף יזעק
עליו ולוא יענה מצרתו לוא יושיענו 8 זכורו זואת והתאוששו השיבו פושעים
על לב 9 זכורו רישונות מעולם כיא אני אל ואין עוד אלוהים ואפס כמוני 10 מגיד
מראישית אחרית ומקדם אשר לוא נעשו אמר עצתי תקום וכול חפצי יעשה
11 קורה ממזרח עיט מארץ מרחק איש עצתו אף דברתי אף אביאנה יצרתיה
אף אעשנה
12 שמעו אלי אבירי לב הרחוקים מצדקה 13 קרובה צדקתי ולוא תרחק ותשועתי
ולוא תאחר נתתי בציון תשועה ולישראל תפארתי
xlvii 1 רדי ושבי על עפר בתולת בת בבל שבי על הארץ אין כסא בת כשדיים כיא
לוא תוסיפי יקראו לך רכה וענוגה 2 קחי רחים וטחני קמח גלי צמתך חשופי
שוליך גלי שוק עבורי נהרות 3 תגלה ערותך גם תראה חרפתך נקם אקח ולוא
אפגע אדם 4 גאלנו יהוה צבאות שמו קדוש ישראל 5 שבי דממה ובאי
בחושך בת כשדיים כיא לוא תוסיפי יקראו לך גבורת ממלכות 6 קצפתי על עמי
וחללתי נחלתי ואתנם בידך לוא שמתי להמה רחמים על זקן הכבדתי עולך
מואדה 7 ותואמרי לעולם אהיה גבורת עוד לוא שמתי אלה על לבכי לוא זכרתי
אחרונה 8 ועתה שמעי זואת עודנה היושבת לבטח האומרה בלבבה אני ואפסי
עוד לוא אשב אלמנה ולוא אראה שכול 9 ותבואינה לך שתי אלה רגע ביום אחד
שכול ואלמנה כתומם באו עליך ברוב כשפיך בעצמת חובריך מואדה 10 ותבטחי
בדעתך אמרתי אין רואני חכמתך ודעתך היאה שובבתך ותואמרי בלבבך אני
ואפסי עוד 11 ובאה עליך רעה ולוא תדעי שחרה ותפול עליך הווה לוא תוכלי לכפרה

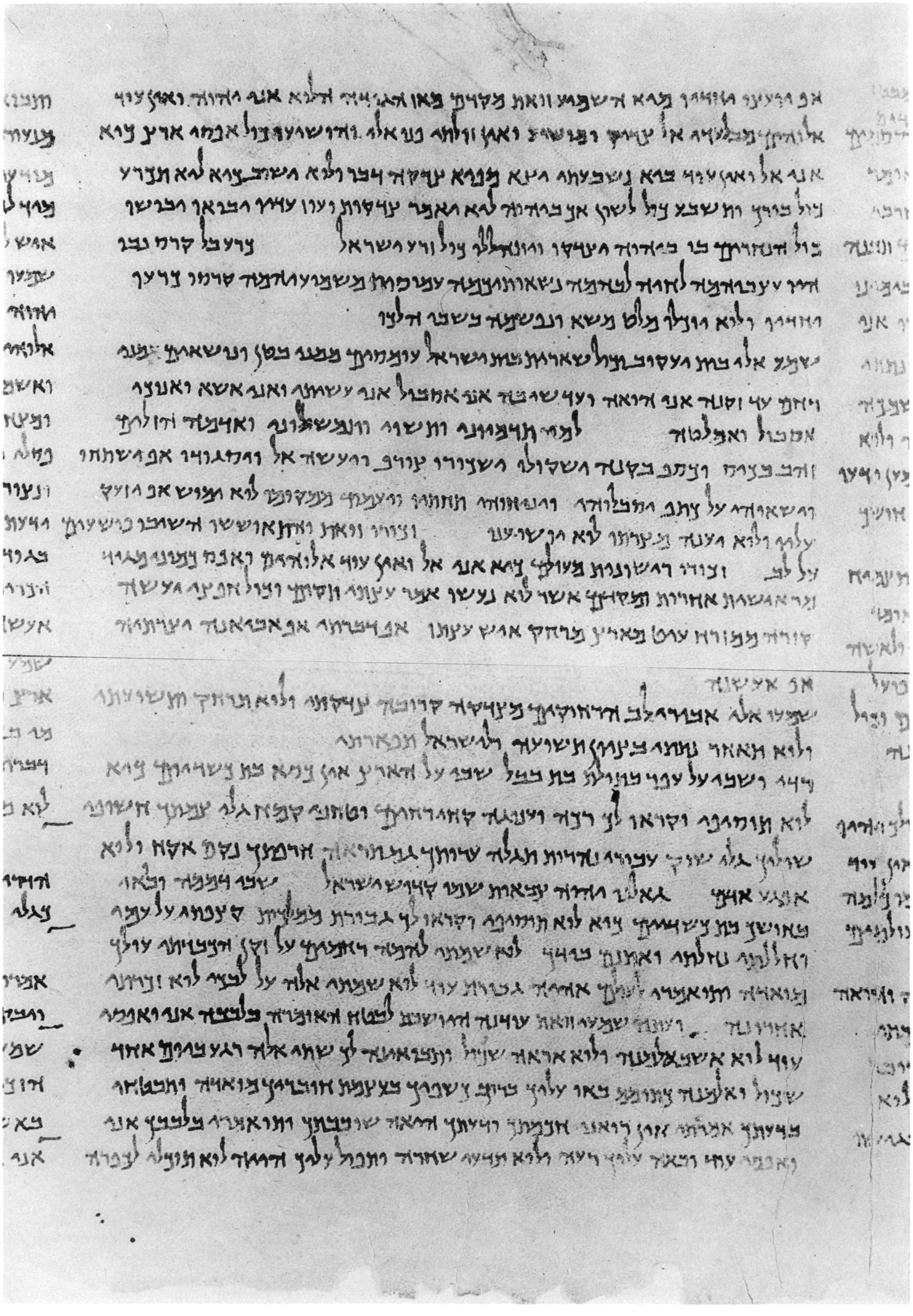

PLATE XXXIX

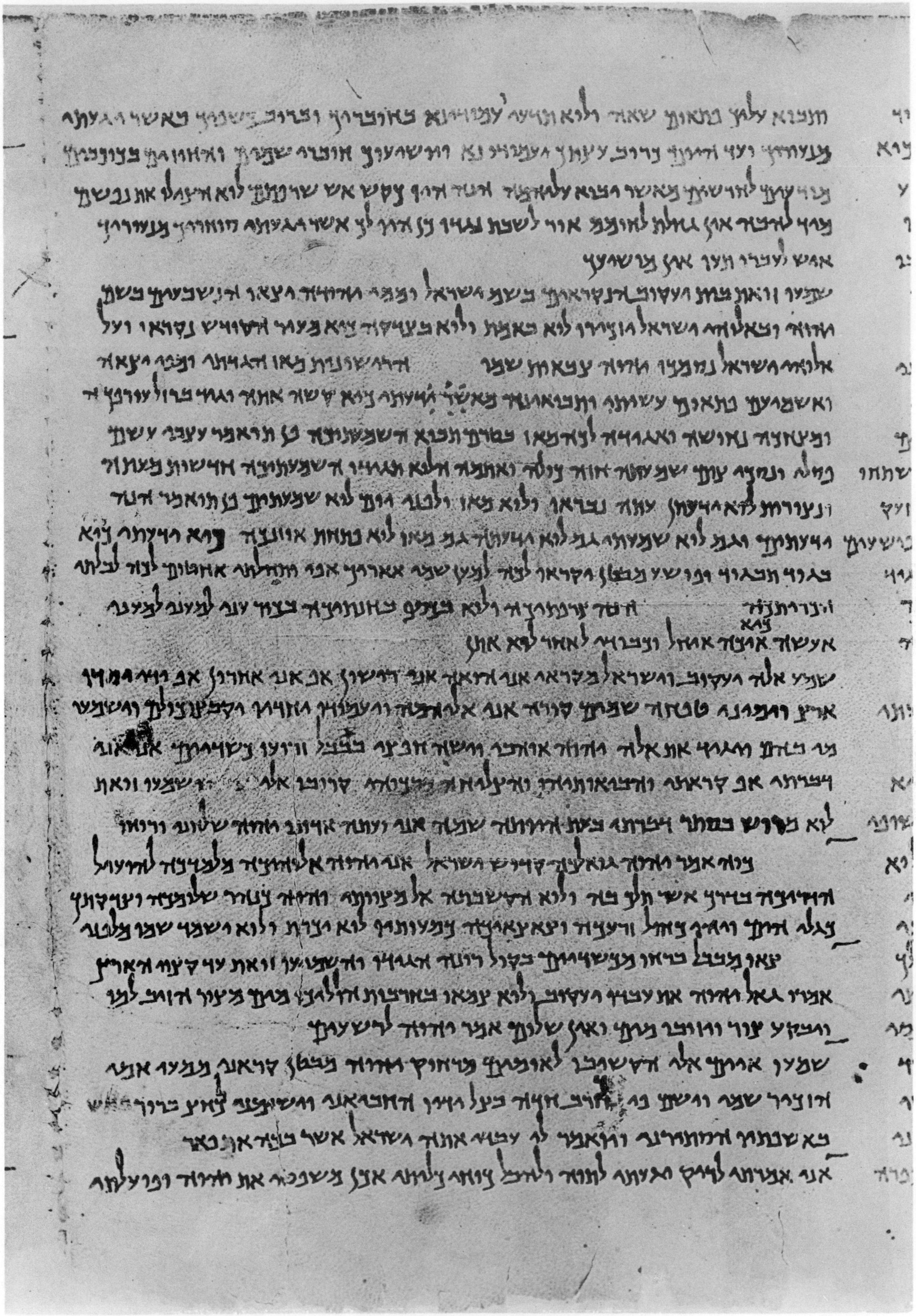

PLATE XL

ו
ותבוא עליך פתאום שאה ולוא תדעי 12 עמודינא בחובריך וברוב כשפיך באשר יגעתי
מנעוריך ועד היום 13 כרוב עצתך יעמֹודו נא ויושיעוך חוברי שמים והחוזים בכוכבים
מודעים לחדשים מאשר יבוא עליהמה 14 הנה היו כקש אש שרפתם לוא הצילו את נפשם
מיד להבה אין גחלת לחומם אור לשבת נגדו 15 כן היו לך אשר יגעתי סוחריך מנעוריך
איש לעברו תעו אין מושיעך
xlviii 1 שמעו זואת בית יעקוב הנקראים בשם ישראל וממי יהודה יצאו הנשבעים בשם
יהוה ובאלוהי ישראל יזכירו לוא באמת ולוא בצדקה 2 כיא מעיר הקודש נקראו ועל
אלוהי ישראל נסמכו יהוה צבאות שמו 3 הרישונות מאז הגדתי ומפי יצאה
ואשמיעם פתאום עשיתי ותבואינה 4 מאשר ידעתי כיא קשה אתה וגיד ברזל עורפכה
ומצחכה נחושה 5 ואגידה לכה מאז בטרם תבוא השמעתיכה פן תואמר עצבי עשם
פסלי ונסכי צום 6 שמעתה חזה כולה ואתמה הלוא תגידו השמעתיכה חדשות מעתה
ונצורות לוא ידעתן 7 עתה נבראו ולוא מאז ולפני יום לוא שמעתים פן תואמר הנה
ידעתים 8 וגם לוא שמעתי גם לוא ידעתה גם מאז לוא פתחת אוזנכה כיא ידעתי כיא
בגוד תבגוד ופושע מבטן יקראו לכה 9 למען שמי אאריך אפי ותהלתי אחטום לכה לבלתי
הכריתכה 10 הנה צרפתיכה ולוא בכסף בחנתיכה בכור עני 11 למעני למעני
כיא
אעשה איכה איחל וכבודי לאחר לוא אתן
12 שמע אלה יעקוב וישראל מקראי אני הואה אני רישון אף אני אחרון 13 אף ידי יסדו
ארץ וימיני טפחה שמים קורה אני אליהמה ויעמודו יחדיו 14 יקבצו כולם וישמעו
מי בהם ויגיד את אלה יהוה אוהבי וישה חפצו בבבל זרועו כשדיים 15 אני אני
דברתי אף קראתי והביאותיהו והצליחה דרכוהי 16 קרבו אלי שמעו זואת
לוא מרוש בסתר דברתי בעת היותה שמה אני ועתה אדוני יהוה שלחני ורוחו
17 כוה אמר יהוה גואלכה קדוש ישראל אני יהוה אלוהיכה מלמדכה להועיל
הדריכה בדרך אשר תלך בה 18 ולוא הקשבתה אל מצוותי והיה כנהר שלומכה וצדקתך
כגלי הים 19 ויהי כחול זרעכה וצאצאיכה כמעותיו לוא יכרת ולוא ישמד שמו מלפני
20 צאו מבבל ברחו מכשדיים בקול רינה הגידו והשמיעו זואת עד קצוי הארץ
אמרו גאל יהוה את עבדו יעקוב 21 ולוא צמאו בחרבות הוליכו מים מצור הזיב למו
ויבקע צור ויזובו מים 22 ואין שלום אמר יהוה לרשעים
xlix 1 שמעו איים אלי הקשיבו לאומים מרחוק יהוה מבטן קראני ממעי אמי
כ ל
הזכיר שמי 2 וישם פי חרב חדה בצל ידיו החביאני וישימני כחץ ברור
באשפתיו הסתירני 3 ויואמר לי עבדי אתה ישראל אשר בכה אתפאר
4 אני אמרתי לריק יגעתי לתוה ולהבל כוחי כליתי אכן משפטי את יהוה ופועלתי

את אלוהי   5 ועתה אמר יהוה יוצרך מבטן לעבד לו לשובב יעקוב אליו

וישראל לו יאסף ואכבדה בעיני יהוה ואלוהי היה עזרי 6 ויואמר נקל מהיותכה לי

עבד להקים את שבטי ישראל ונצירי יעקוב להשיב ונתתיך לאור גואים להיות

ישועתי עד קצוי הארץ

5   7 כוה אמר אדוני יהוה גואלכה ישראל קדושו לבזוי נפש למתעבי גוי לעבד מושלים

מלכים ראו וקמו ושרים והשתחוו למען יהוה אשר נאמן קדוש ישראל יבחרכה

8   כוה אמר יהוה בעת רצון אענכה וביום ישועה אעזרכה ואצורכה ואתנכה לברית

עם להקים ארץ להנחיל נחלות שוממות 9 לאמור לאסורים צאו ולאשר בחושך הגלו

על כול הרים ירעו ובכול שפאים מרעיתם 10 לוא ירעבו ולוא יצמאו ולוא יכם שרב

10   ושמש כיא מרחמם ינהגם ועל מבועי מים ינהלם 11 ושמתי כול הרי לדרך ומס

ומסלתי ירומון 12 הנה אלה מרחוק יבואו והנה אלה מצפון ומים ואלה מארץ

סיניים   13 רונו שמים וגילי ארץ פצחו הרים רינה כיא מנחם יהוה עמו

ועניו ירחם

ואלוהי
14 ותואמר ציון עזבני יהוה ואדוני שכחני 15 התשכח אשה עולה מרחם בן בטנה

15   גם אלה תשכחנה ואנוכי לוא אשכחכי 16 הנה על כפים חוקותיך וחומותיך

נגדי תמיד 17 מהרו בוניך מהורסיך ומחריביך ממך יצאו 18 סאי סביב עיניך

וראי כולם נקבצו באו לכי חי אני נואם יהוה כיא כולם כעדי תלבשי

ותקשרים ככלה 19 כיא חרבותיך ושוממותיך וארץ הריסתך כיא עתה תצרי

מיושב ורחקו מבלעיך 20 עוד יואמרו באוזניך בני שכוליך צר לי המקום גשה

20   לי ואשבה 21 ואמרת בלבבך מיא ילד לי את אלה ואני שכולה וגלמודה וגולה

וסרה אלה מיא גדל הנה אני נשארתי לבדי אלה איפו המה

22 כיא כוה אמר יהוה הנה אשא אל גואים ידי ואל העמים ארים נסי והביאו

בניך בחוצן ובנותיך על כתף תנשגה 23 והיו מלכים אמניך ושרותיהמה מינקותיך

אפים ארץ ישתחוו לך ועפר רגליך ילחכו וידעתי כיא אני יהוה אשר לוא יבושו

25   קוי   24 היקחו מגבור מלקוח אם שבי עריץ ימלט 25 כיא כוה אמר יהוה

גם מלקוח גבור ילקח ושבי עריץ ימלט ואת ריבך אנוכי אריב ואת

בניך אנוכי אושיע 26 ואוכלתי את מוניך את בשרם וכעסיס דמם ישכרו וידעו

כול בשר כיא אני יהוה מושיעך וגואלכי אביר יעקוב

1 כוה אמר יהוה אי זה ספר כריתות אמכמה אשר שלחתיה או מי מנושי אשר

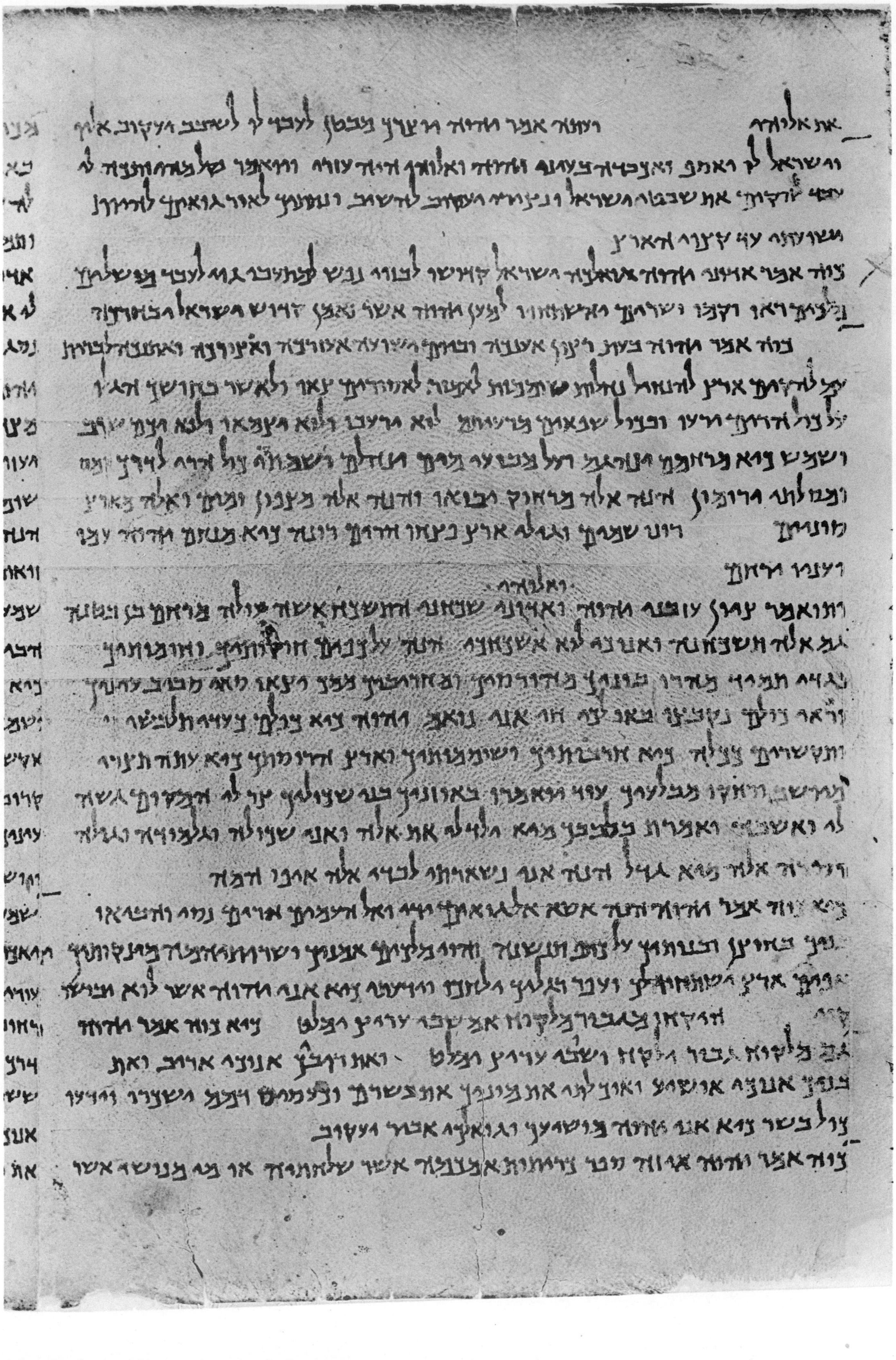

PLATE XLI

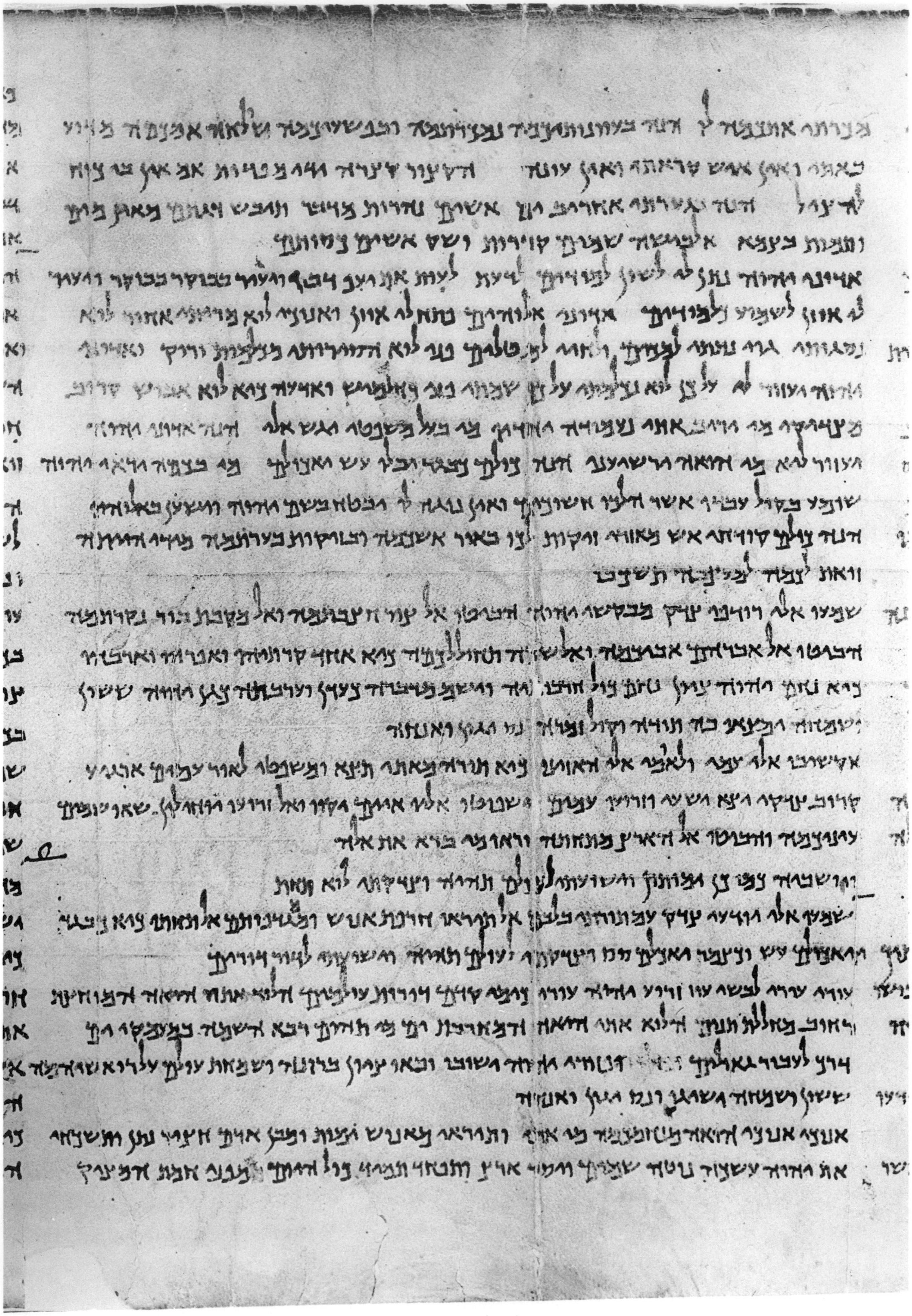

PLATE XLII

מכרתי אתכמה לו הנה בעוונותיכמה נמכרתמה ובפשעיכמה שולחה אמכמה 2 מדוע
באתי ואין איש קראתי ואין עונה הקצור קצרה ידי מפדות אם אין בי כוח
להציל הנה בגערתי אחריב ים אשים נהרות מדבר תיבש דגתם מאין מים
ותמות בצמא 3 אלבישה שמים קדרות ושק אשים כסותם
4 אדוני יהוה נתן לי לשון למודים לדעת לעות את יעף דב. ויעיר בבוקר ויעיר
לי אוזן לשמוע כלמודים 5 אדוני אלוהים פתח לי אוזן ואנוכי לוא מריתי אחור לוא
נסגותי 6 גוי נתתי למכים ולחיי למטלים פני לוא הסירותי מכלמות ורוק 7 ואדוני
יהוה יעזור לי על כן לוא נכלמתי על כן שמתי פני כחלמיש ואדעה כיא לוא אבוש 8 קרוב
מצדיקי מי יריב אתי נעמודה יחדיו מי בעל משפטי יגש אלי 9 הנה אדוני יהוה
יעזור ליא מי הואה ירשיעני הנה כולם כבגד יבלו עש יאכולם 10 מי בכמה יראי יהוה
שומע בקול עבדו אשר הלכו חשיכים ואין נוגה לו יבטח בשם יהוה וישען באלוהיו
11 הנה כולם קודחי אש מאזרי זיקות לכו באור אשכמה ובזיקות בערתמה מידי הייתה
זואת לכמה למעצבה תשכבו
li 1 שמעו אלי רודפי צדק מבקשי יהוה הביטו אל צור חצבתמה ואל מקבת בור נקרתמה
2 הביטו אל אברהם אביכמה ואל שרה תחוללכמה כיא אחד קרתיהו ואפרהו וארבהו
3 כיא נחם יהוה ציון נחם כול חרבו[ ]יה וישם מדברה כעדן וערבתה כגן יהוה ששון
ושמחה ימצאו בה תודה וקול זמרה נס יגון ואנחה
4 אקשיבו אלי עמי ולאומי אלי האזינו כיא תורה מאתי תצא ומשפטי לאור עמים ארגיע
5 קרוב צדקי יצא ישעי וזרועי עמים ישפוטו אליו איים יקוו ואל זרועו יוחילון 6 שאו שמים
עיניכמה והביטו אל הארץ מתחתה וראו מי ברא את אלה
ויושביה כמו כן ימותון וישועתי לעולם תהיה וצדקתי לוא תחת
7 שמעו אלי יודעי צדק עם תורתי בלבם אל תיראו חרפת אנוש וממגדפותם אל תחתו 8 כיא כבגד
יואכולם עש וכצמר יאכלם סס וצדקתי לעולם תהיה וישועתי לדור דורים
9 עורי עורי לבשי עוז זרוע יהוה עורי כימי קדם דורות עולמים הלוא אתה היאה המוחצת
רחוב מחללת תנים 10 הלוא אתי היאה המחרבת ים מי תהום רבא השמה במעמקי ים
דרך לעבור גאולים 11 ופזורי יהוה ישובו ובאו ציון ברינה ושמחת עולם על רואשיהמה
ששון ושמחה ישיגו ונס יגון ואנחה
12 אנוכי אנוכי הואה מנחמכמה מי אתי ותיראי מאנוש ימות ומבן אדם חציר נתן 13 ותשכחי
את יהוה עשכה נוטה שמים ויסד ארץ ותפחד תמיד כול היום מפני חמת המציק

כאשר כונן להשחית ואיה חמת המציק
14 מהר צרה להפתח ולוא ימות לשחת ולוא יחסר לחמו
15 אנוכי יהוה אלוהיכה רוגע הים ויהמו גליו יהוה צבאות שמו 16 אשים
דברי בפיכה ובצל ידי כסיתיכה לנטוע שמים וליסד ארץ ולאמור לציון עמיא
אתה
17 התעוררי התעוררי קומי ירושלים אשר שתיתי מיד יהוה את כוס חמתו
את קובעת כוס התרעלה שתיתי מצית 18 אין מנחל לך מכול בנים ילדה
ואין מחזיק בידה מכול בנים גדלה 19 שתים המה קראתכי מי ינוד לכי
ה
השד והשבר והרעב וחרב מי ינחמך 20 בניך עולפו שוכבו בראוש כול
חוצות כתו מכמר המלאים חמת יהוה גערת אלוהיך 21 לכן שמעי נא
זואת עניה שכורת ולוא מיין 22 כוה אמר אדוניך יהוה אלוהיך יריב עמוא
הנה לקחתי מידך את כוס התרעלה את קובעת כוס חמתי לוא תוסיפי
לשתותו עוד 23 ושמתיהו ביד מוגיך ומעניך אשר אמרו לנפשכי שוחי
lii ונעבורה ותשימי כארץ גוך וכחוץ לעוברים 1 עורי עורי לבשי
ציון
עוז לבשי בגדי תפארתך ירושלם עיר הקודש כיא לוא יוסיף ויבוא
בך ערל וטמא 2 התנערי מעפר וקומי ושבי ירושלים התפתחו מוסרי
צורך שביה בת ציון 3 כיא כוה אמר יהוה חנם נמכרתמה ולוא
בכסף תגאלו 4 כיא כוה אמר יהוה מצרים ירד עמי ברישונה לגור
שמה ואשור באפס עשקו 5 ועתה מה לי פה נואם יהוה כי לוקח עמי
חנם משלו והוללו נואם ותמיד כול היום שמי מנואץ 6 לכן ידע עמיא
שמי ביום ההואה כי אני הואה המדבר הנני
7 מה נאוו על ההרים רגלי מבשר מבשר שלום משמיע טוב מש. . .
ישועה אומר לציון מלך אלוהיך 8 קול צופיך נשאו קולם יחדיו ירננו
כיא עין בעין יראו בשוב יהוה ציון ברחמים 9 פצחו רינה יחדיו
חרבות ירושלים כיא נחם יהוה עמו וגאל את ירושלים 10 חשף יהוה
את זרוע קודשו לעיני כול הגואים וראו כול אפסי הארץ את ישועת
אלוהינו 11 סורו סורו צאו משמה בטמה אל תגעו צאו מתוכה
הברו נושאי כלי יהוה 12 כיא לוא בחפזון תצאו ובמנוסא לוא תלכון
כיא הולך לפניכמה יהוה ומאספכמה אלוהי ישראל אלוהי כול
הארץ יקרא

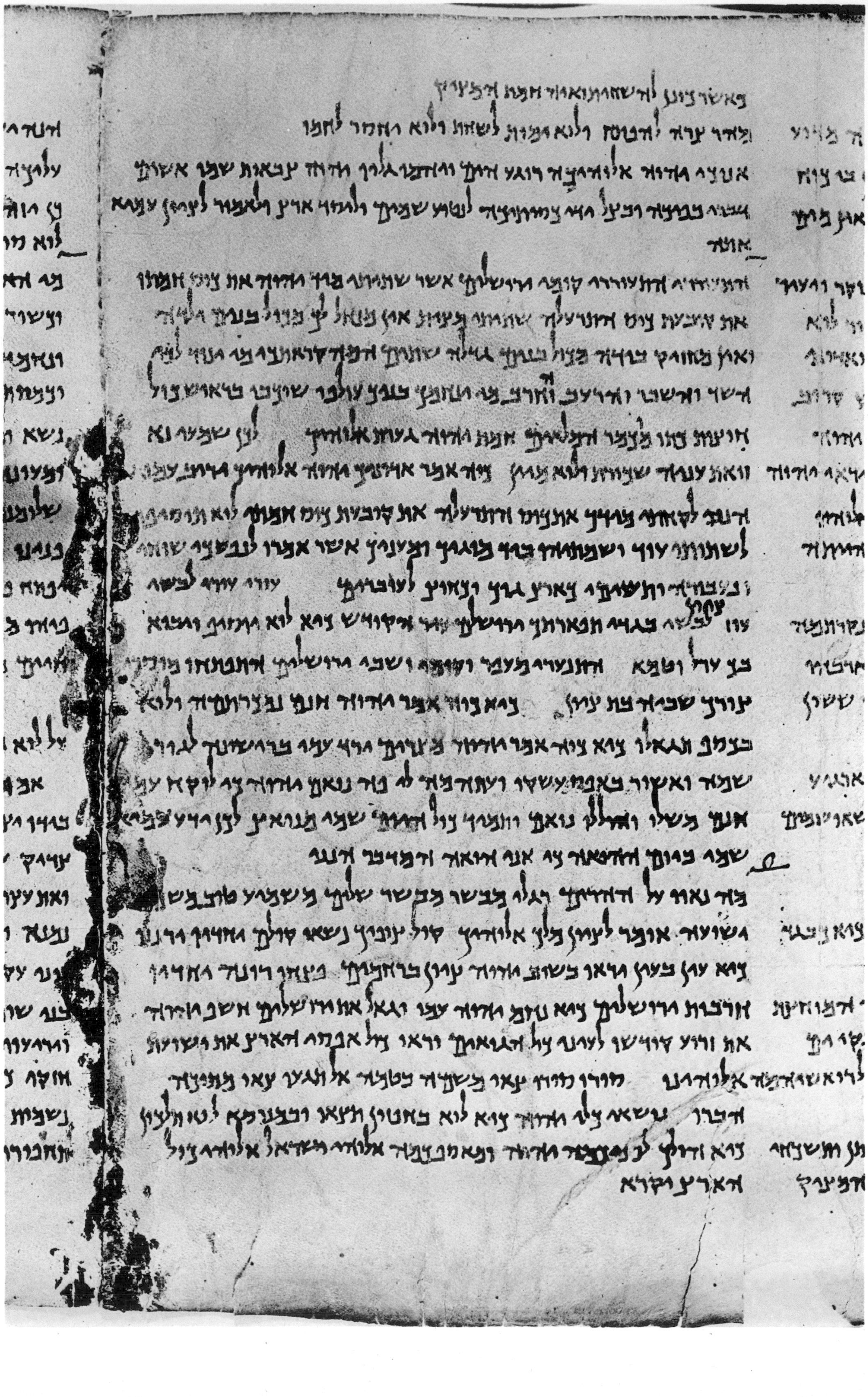

PLATE XLIII

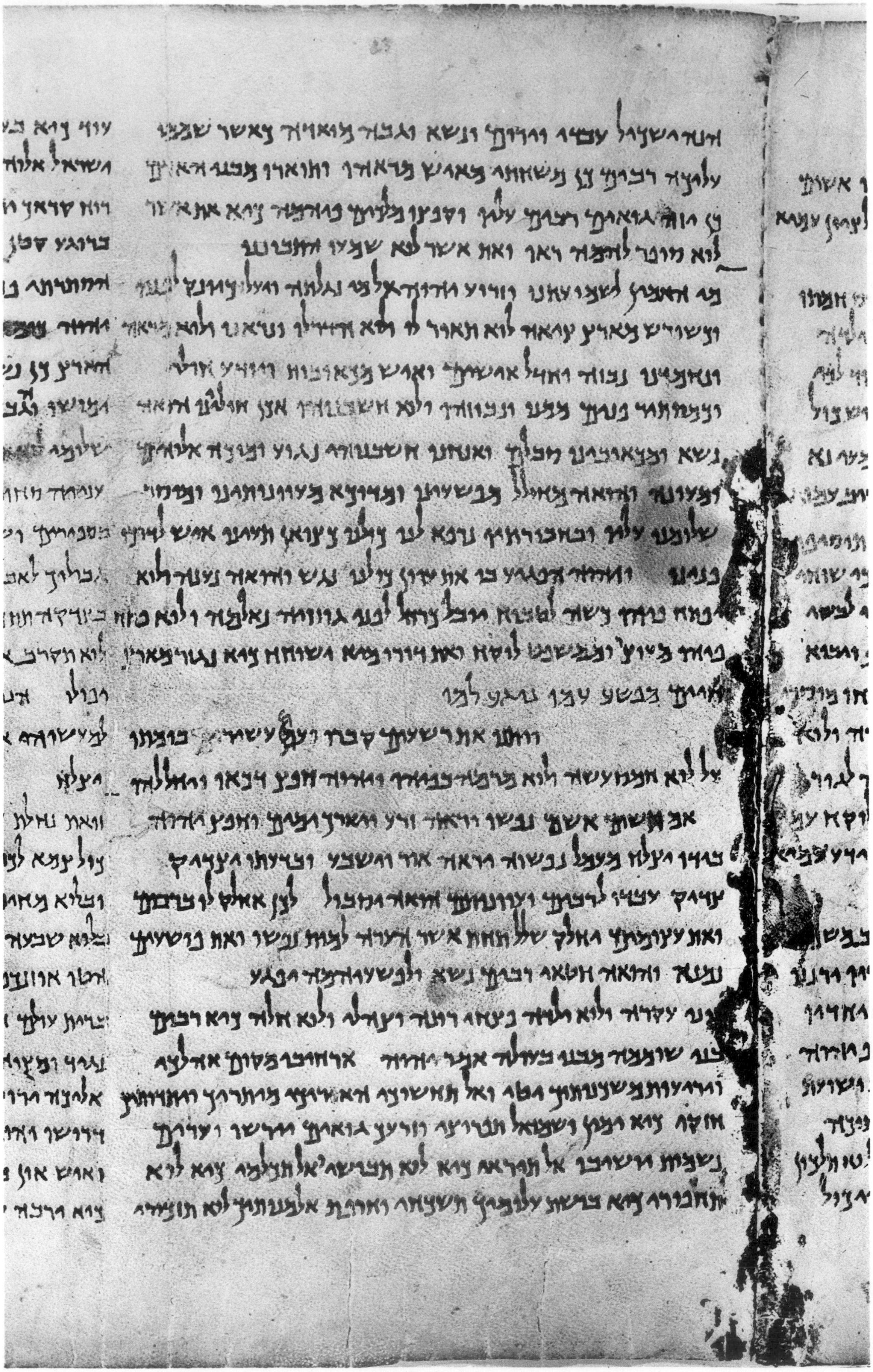

PLATE XLIV

13 הנה ישכיל עבדי וירום ונשא וגבה מואדה 14 כאשר שממו

עליכה רבים כן משחתי מאיש מראהו ותוארו מבני האדם

15 כן יזה גואים רבים עליו וקפצו מלכים פיהמה כיא את אשר

לוא סופר להמה ראו ואת אשר לוא שמעו התבוננו

⁵ liii 1 מי האמין לשמועתנו וזרוע יהוה אל מי נגלתה 2 ויעל כיונק לפניו

וכשורש מארץ ציאה לוא תאור לו ולוא הדרלו ונראנו ולוא מראה

ונחמדנו 3 נבזה וחדל אישים ואיש מכאובות ויודע חולי

וכמסתיר פנים ממנו ונבוזהו ולוא חשבנוהו 4 אכן חולינו הואה

נשא ומכאובינו סבלם ואנחנו חשבנוהו נגוע ומוכה אלוהים

¹⁰ ומעונה 5 והואה מחולל מפשעינו ומדוכא מעוונותינו ומוסר

שלומנו עליו ובחבורתיו נרפא לנו 6 כולנו כצואן תעינו איש לדרכו

פנינו ויהוה הפגיע בו את עוון כולנו 7 נגש והואה נענה ולוא

יפתח פיהו כשה לטבוח יובל כרחל לפני גוזזיה נאלמה ולוא פתח

פיהו 8 מעוצ וממשפט לוקח ואת דורו מיא ישוחח כיא נגזר מארץ

¹⁵ חיים מפשע עמו נוגע למו

9 ויתנו את רשעים קברו ועמן עשיר בומתו

על לוא חמס עשה ולוא מרמה בפיהו 10 ויהוה חפץ דכאו ויחללהו

אם תשים אשם נפשו יראה זרע ויארך ימים וחפץ יהוה

בידו יצלח 11 מעמל נפשוה יראה אור וישבע ובדעתו יצדיק

²⁰ צדיק עבדי לרבים ועוונותם הואה יסבול 12 לכן אחלק לו ברבים

ואת עצומים יחלק שלל תחת אשר הערה למות נפשו ואת פושעים

נמנא והואה חטאי רבים נשא ולפשעיהמה יפגע

liv 1. ׳רני עקרה ולוא ילדה פצחי רינה וצהלי ולוא חלה כיא רבים

בני שוממה מבני בעולה אמר יהוה 2 ארחיבי מקום אהלכי

²⁵ ויריעות משכנותיך יטי ואל תחשוכי האריכי מיתריך ויתדותיך

חזקי 3 כיא ימין ושמואל תפרוצי וזרעך גואים יירשו וערים

נשמות יושיבו 4 אל תיראי כיא לוא תבושי אל תכלמי כיא לוא

תחפירי כיא בושת עלומיך תשכחי וחרפת אלמנותיך לוא תזכורי

עוד 5 כיא בעלכי עושך יהוה צבאות שמו וגואלכי קדוש
ישראל אלוהי כול הארץ יקרה 6 כיא כאשה עזובה ועצובת
רוח קראך יהוה ואשת נעורים כיא תמאס אמר יהוה אלוהיך
7 ברוגע קטן עזבתיך וברחמים גדולים אקבצך 8 בשצף קצף
הסתרתי פני רוגע ממך ובחסדי עולם רחמתיך אמר גואלכי
יהוה 9 כימי נוח זואת לי אשר נשבעתי מעבור מי נוח עוד על
הארץ כן נשבעתי מקצוף עליך עוד ומגעור בך 10 כיא ההרים
ימושו והגבעות תתמוטינה וחסדי מאתך לוא ימוש וברית
שלומי לוא תמוט אמר מרחמכי יהוה
תיך
11 ענייה סחורה לוא נחמה הנה אנוכי מרביץ בפוך אבניך ויסודו
בספירים 12 ושמתי כדכוד שמשותיך ושעריך לאבני אקדח וכול
גבוליך לאבני חפץ 13 וכול בניך למודי יהוה ורב שלום בניכי
14 בצדקה תתכונני רחקי מעושק כיא לוא תיראי וממחתה כיא
לוא תקרב אליך 15 הנה גור יגור אכס מאתי מי יגר אתך עליך
יפולו 16 הנה אנוכי בראתי חרש נופח באש פחם מוציא כלי
למעשיהו אנוכי בראתי משחית לחבל 17 כול כלי יוצר עליך לוא
יצלח

lv זואת נחלת עבדי יהוה וצדקתם מאתי נואם יהוה 1 הוי
כול צמא לכו למים ואשר אין לו כסף לכו שבורו בלוא כסף
ובלוא מחיר יין וחלב 2 למה תשקולו כסף בלוא לחם ויגיעכם
בלוא שבעה שמעו שמעוא אלי ואכולו טוב ותתענג בדשן נפשכם
3 הטו אוזנכמה ולכו אלי ושמעו ותחיה נפשכמה ואכרות לכמה
ברית עולם חסדי דויד הנאמנים 4 הנה עד לאומים נתתיהו
נגיד ומצוה לאומים 5 הנה גוי לוא תדע תקרא וגוי לוא ידעכה
אליכה ירוץ למען יהוה אלוהיך ולקדוש ישראל כיא פארך
6 דרושו יהוה בהמצאו קראוהי בהיותו קרוב 7 יעזוב רשע דרכו
ואיש און מחשבותיו וישוב אל יהוה וירחמהו ואל אלוהינו
כיא ירבה לסלוח 8 כיא לוא מחשבותי מחשבותיכם ולוא דרכיכמה

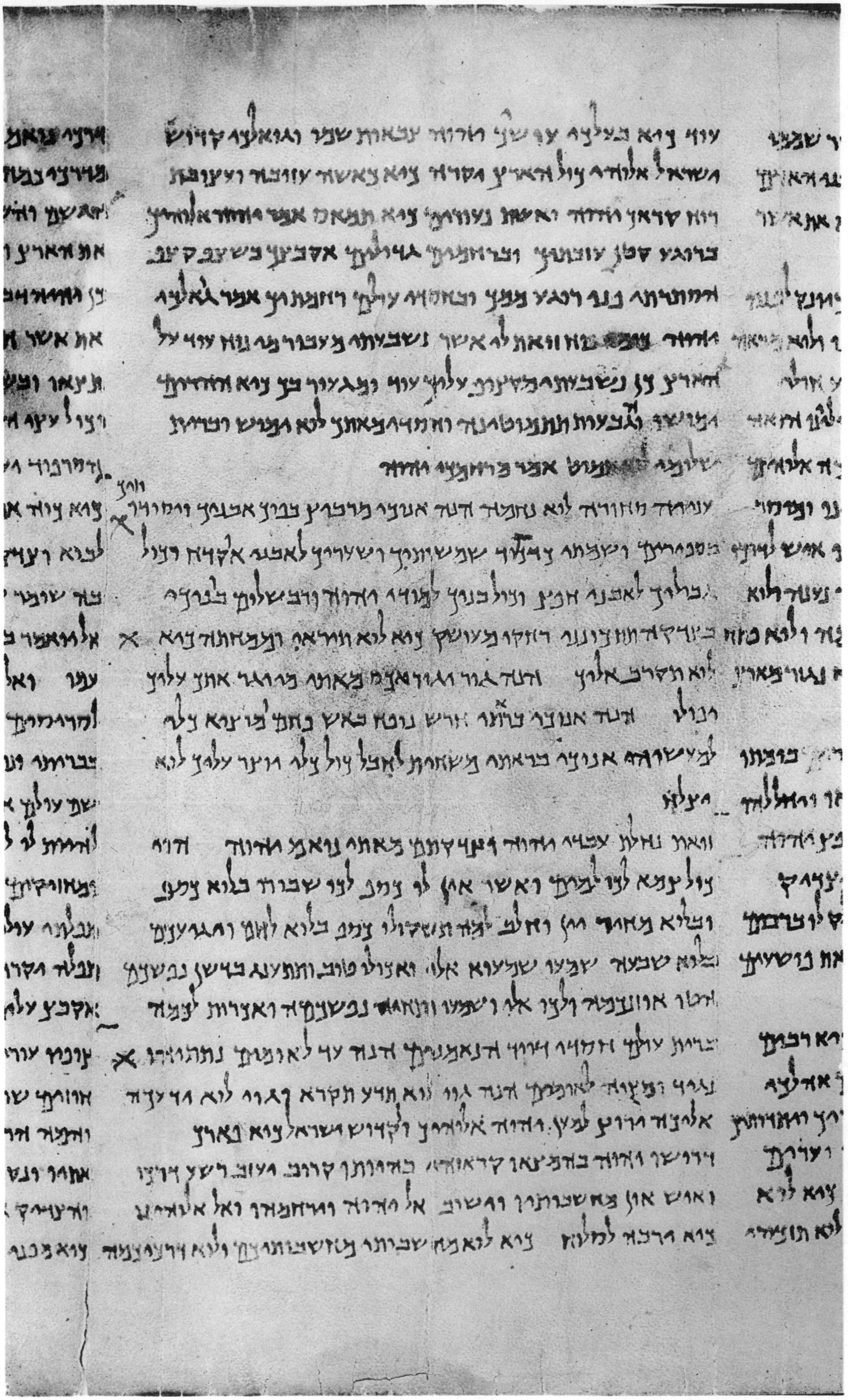

PLATE XLV

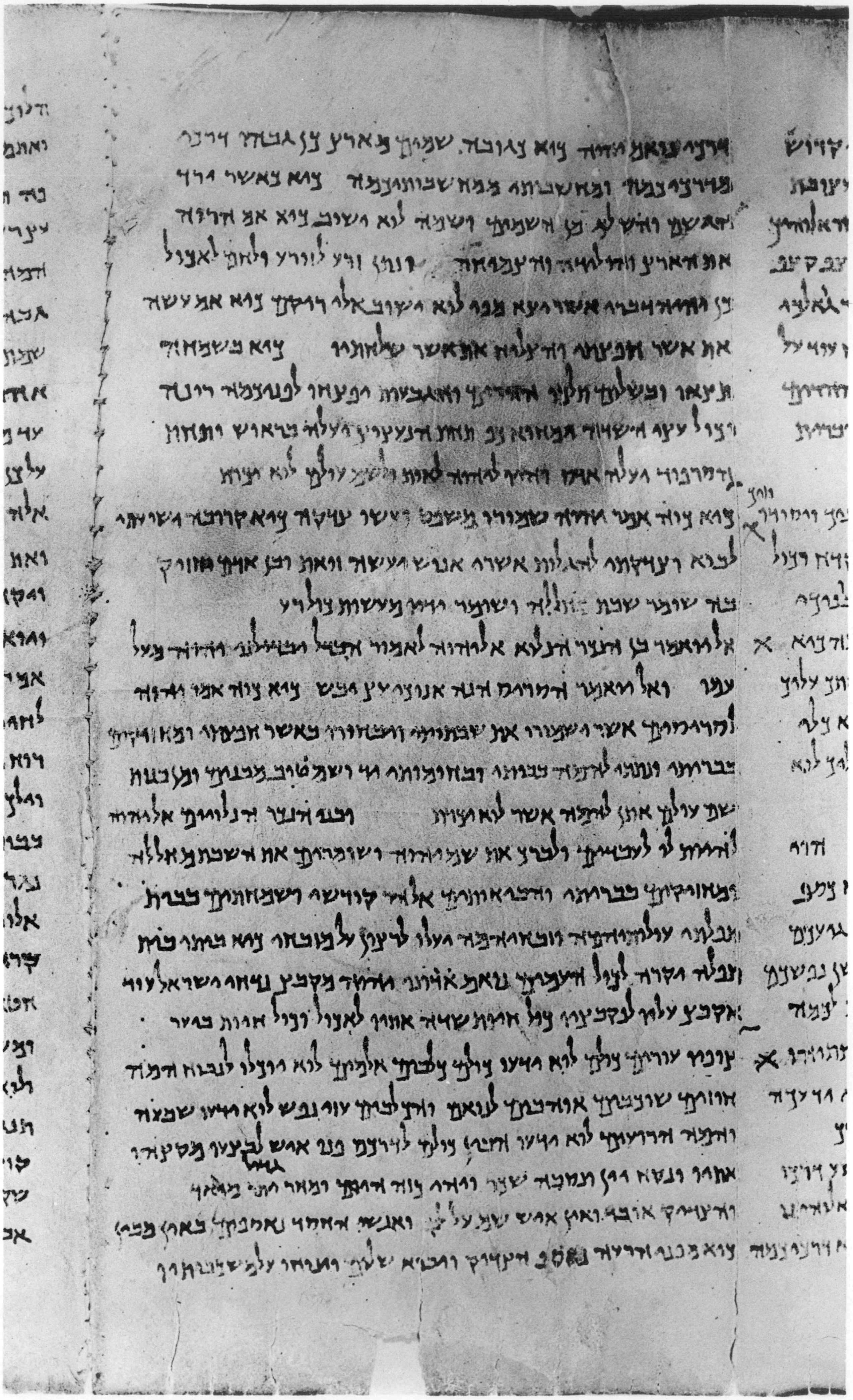

PLATE XLVI

דרכי נואם יהוה 9 כיא כגובה שמים מארץ כן גבהו דרכי

מדרכיכמה ומחשבותי ממחשבותיכמה 10 כיא כאשר ירד

הגשם והשלג מן השמים ושמה לוא ישוב כיא אם הרוה

את הארץ והולידה והצמיחה ונתן זרע לזורע ולחם לאכול

5　11 כן יהיה דברי אשר יצא מפי לוא ישוב אלי ריקם כיא אם עשה

את אשר חפצתי והצליח את אשר שלחתיו　　　12 כיא בשמחה

תצאו ובשלום תלכו ההרים והגבעות יפצחו לפניכמה רינה

וכול עצי השדה ימחוא כף 13 תחת הנעצוץ יעלה ברואש ותחת

הסרפוד יעלה אדס והיו ליהוה לאות ולשם עולם לוא יכרת

10　lvi　1 כיא כוה אמר יהוה שמורו משפט ועשו צדקה כיא קרובה ישועתי

לבוא וצדקתי להגלות 2 אשרי אנוש יעשה זואת ובן אדם יחזיק

בה שומר שבת .חללה ושומר ידיו מעשות כול רע

3 אל יואמר בן הנכר הנלוא אל יהוה לאמור הבדל יבדילני יהוה מעל

עמו ואל יואמר הסריס הנה אנוכי עץ יבש 4 כיא כוה אמר יהוה

15　לסריסים אשר ישמורו את שבתותי ויבחורו באשר חפצתי ומחזיקים

בבריתי 5 ונתתי להמה בביתי ובחומותי יד ושם טוב מבנים ומן בנות

שם עולם אתן להמה אשר לוא יכרת　　　6 ובני הנכר הנלויים אל יהוה

להיות לו לעבדים ולברך את שם יהוה ושומרים את השבת מחללה

ומחזיקים בבריתי 7 והביאותים אל הר קודשי ושמחתים בבית

20　תפלתי עולותיהמה וזבחיהמה יעלו לרצון על מזבחי כיא ביתי בית

תפלה יקרה לכול העמים 8 נואם אדוני יהוה מקבץ נדחי ישראל עוד

אקבץ עליו לנקבציו 9 כול חיות שדה אתיו לאכול וכול חיות ביער

10 צופיו עורים כולם לוא ידעו כולם כלבים אלמים לוא יוכלו לנבוח המה

חוזים שוכבים אוהבים לנואם 11 והכלבים עזי נפש לוא ידעו שבעה

25　והמה הרועים לוא ידעו הבין כולם לדרכם פנו איש לבצעו מקצהו

גדול

12 אתיו ונקח יין ונסבה שכר ויהי כזה היום ומחר יתר מואד

lvii　1 והצדיק אובד ואין איש שם על לב ואנשי החסד נאספים באין מבין

כיא מפני הרעה נ.סף הצדיק 2 ויבוא שלום וינוחו על משכבותיו

הלוך נוכחה
3 ואתמה קרובו הנה בני עננה זרע מנאף ותזנו 4 על מיא תתענגו ועל מיא תרחיבו
פה תאריכו לשון הלוא אתמה ילודי פשע זרע שקר 5 הנחמים באלים תחת כול
עץ רענן שוחטי הילדים בנחלים תחת שעפי הסלעים 6 בחלקי נחל חלקכה שמה
המה גורלכה גם להמה שפכתה נסך העליתה מנחה העל אלה אנחם 7 על הר
גבה ונשא שמת משכבכה גם שם עלית לזבוח זבח 8 ואחר הדלת והמזוזה
שמתה זכרונכה כיא מאתי גליתה ותעלי הרחבת משכבך ותכרותי לכה מהמה
אהבת משכבמה יד חזית 9 ותשרי למלך בשמן ותרבי רוקחיך ותשלחי ציריך
עד מרחק ותשפילי עד שאול 10 ברוב דרכיך יגעת לוא אמרת נואש חית ידך מצת
על כן לוא חלית 11 ואת מי דאגת ותיראיני כיא תכזבי ואותי לוא זכרתי ולוא שמתי
אלה על לבכה הלוא אני מחשה ומעולם ואותי לוא תיראי 12 אני אגיד צדקתך
ואת מעשיך ולוא יועילוך קובציך 13 בזעקך יצילוך קובציך ואת כולם ישא רוח
ויקח הבל וחוסה ביא ינחל ארץ וירש הר קודשי
14 ויואמר סולו סולו המסלה פנו דרך הרימו מכשול מדרך עמיא 15 כיא כוה
אמר רם ונשא שוכן עד וקדוש שמו במרום ובקודש ישכון ואת דכא ושפל רוח
לחיות רוח שפלים ולחיות לב נדכאים 16 כיא לוא לעולם אריב ולוא לנצח אקצוף כיא
רוח מלפני יעטוף ונשמות אני עשיתי 17 בעוון בצעו קצפתי ואכהו ואהסתר ואקצופה
וילך שובב בדרך לבו 18 דרכיו ראיתי וארפאהו ואשלם לוא תנחומים לוא ולאבליו
19 בבורה ניב שפתים שלום לרחוק ולקרוב אמר יהוה ורפתיהו 20 והרשעים כים
נגרשו כיא לאשקיט לוא יוכל ויתגרשו מימיו רפש וטיט 21 ואין שלום אמר
אלוהי לרשעים
lviii 1 קרא בגרון אל תחשוך כשופר הרם קולכה והגד לעמיא פשעיהמה ולבית יעקוב
חטאותמה 2 אותי יום ויום ידרושו ודעת דרכי יחפצון כגוי אשר צדקה עשה
ומשפט אלוהו לוא עזב ישאלוני משפטי צדק קרבת אלוהים יחפצו 3 למה צמנו
ולוא ראיתה ענינו נפשותינו ולוא תדע הן ביום צומכמה תמצאו חפץ וכול עצביכם
תנגשו 4 הנה לריב ולמצא תצומו ולהכות בגורף רשע לוא תצומו כיום לשמיע במרום
קולכמה 5 הכזה יהיה צום אבחרהו יום ענות אדם נפשו הלכוף כאוגמן רואשו
שק ואפר יציע הלזה תקראו צום יום רצון ליהוה 6 הלוא זה הצום אשר
אבחרהו פתח חרצבות רשע והתר אגודות מטה ושלח רצוצים ח.שים וכול

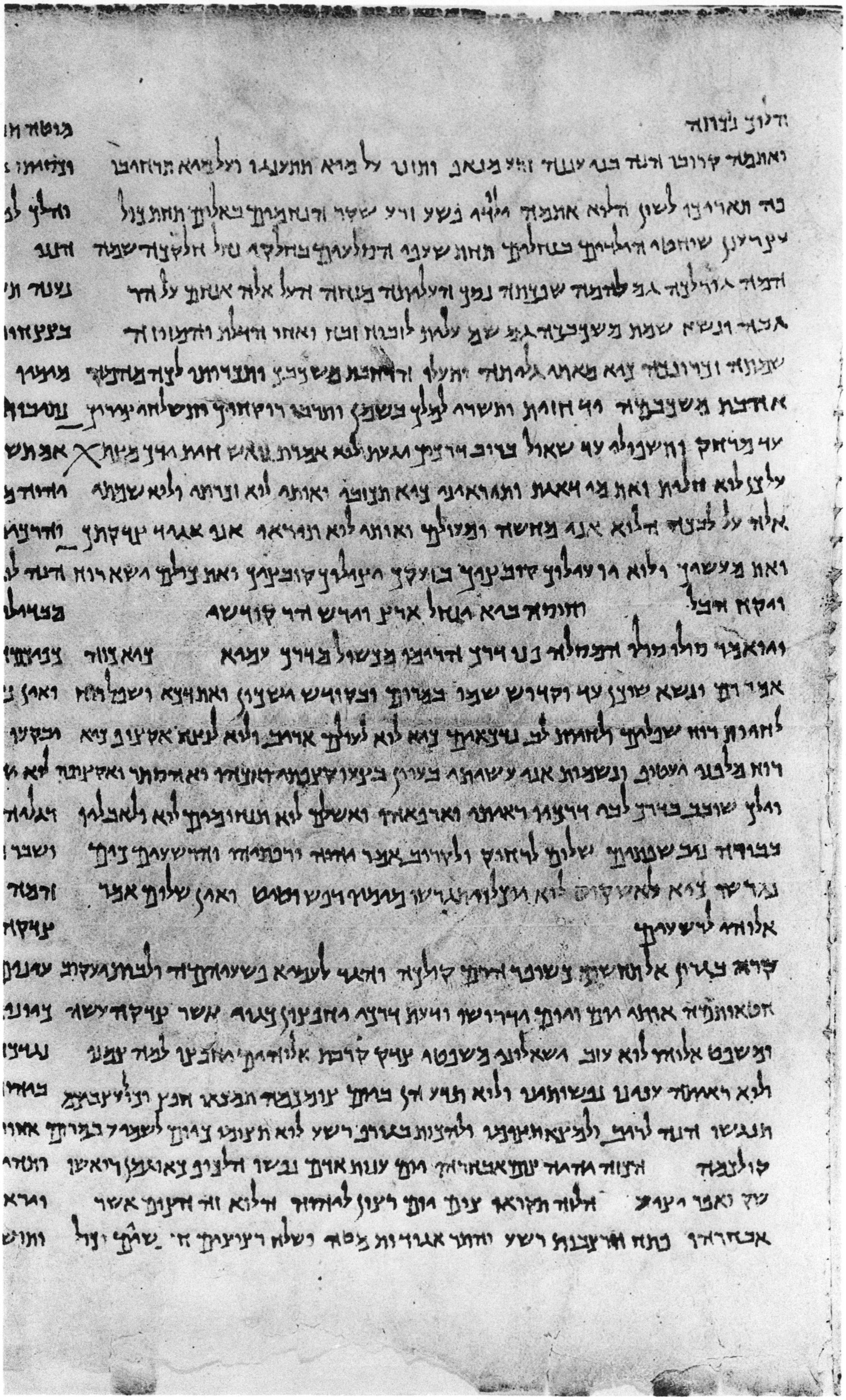

PLATE XLVII

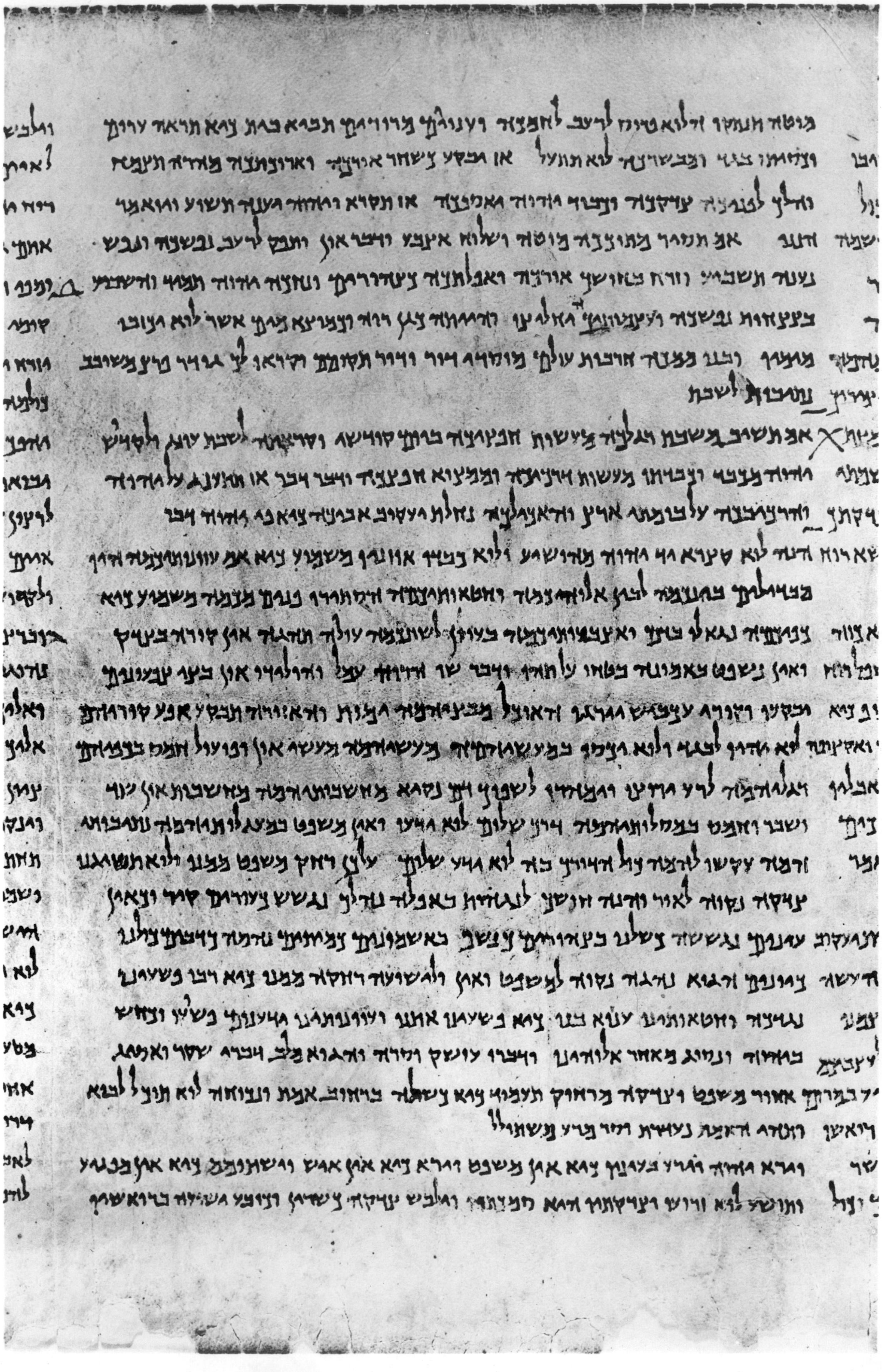

PLATE XLVIII

מוטה תנתקו 7 הלוא פרוס לרעב לחמכה ועניים מרודים תביא בית כיא תראה ערום
וכסיתו בגד ומבשרכה לוא תתעל 8 אז יבקע כשחר אורכה וארוכתכה מהרה תצמח
והלך לפניכה צדקכה וכבוד יהוה יאספכה 9 אז תקרא ויהוה יענה תשוע ויואמר
הנני אם תסיר מתוככה מוטה ושלוח אצבע ודבר און 10 ותפק לרעב נפשכה ונפש
נענה תשביע וזרח בחושך אורכה ואפלתכה כצהורים 11 ונחכה יהוה תמיד והשביע
בצחות נפשכה ועצמותיכ יחליצו והייתה כגן רוה וכמוצא מים אשר לוא יכזבו
מימיו 12 ובנו ממכה חרבות עולם מוסדי דור ודור תקומם וקראו לך גודר פרץ משובב
נתיבות לשבת

13 אם תשיב משבת רגלכה מעשות חפציכה ביום קודשי וקראתה לשבת עונג ולקדש
יהוה מכבד וכבדתו מעשות דרכיכה וממצוא חפצכה ודבר דבר 14 אז תתענג על יהוה
והרכיבכה על בומתי ארץ והאכילכה נחלת יעקוב אביכה כיא פי יהוה דבר
lix 1 הנה לוא קצרא יד יהוה מהושיע ולוא כבדו אוזניו משמוע 2 כיא אם עוונותיכמה היו
מבדילים בינכמה לבין אלוהיכמה וחטאותיכמה הסתירו פנים מכמה משמוע 3 כיא
כפיכמה נגאלו בדם ואצבעותיכמה בעוון לשונכמה עולה תהגה 4 אין קורה בצדק
ואין נשפט באמונה בטחו על תהו ודבר שו הרוה עמל והולידו און 5 בצי צפעונים
ובקעו וקורי עכביש יירגו האוכל מבציהמה ימות והאזורה תבקע אפע 6 קוריהם
לוא יהיו לבגד ולוא יכסו במעשיהמה מעשיהמה מעשי און ופועול חמס בכפיהם
7 רגליהמה לרע ירוצו וימהרו לשפוך דם נקיא מחשבותיהמה מחשבות און שד
ושבר וחמס במסלותיהמה 8 דרך שלום לוא ידעו ואין משפט במעגלותיהמה נתיבותי
המה עקשו להמה כול הדורך בה לוא ידע שלום 9 על כן רחק משפט ממנו ולוא תשיגנו
צדקה נקוה לאור והנה חושך לנגהות באפלה נהלך 10 נגשש כעורים קיר וכאין
עינים נגששה כשלנו בצהורים כנשף באשמונים כמיתים 11 נהמה כדבים כולנו
כיונים הגוא נהגה נקוה למשפט ואין ולישועה רחקה ממנו 12 כיא רבו פשעינו
נגדכה וחטאותינו ענוא בנו כיא פשעינו אתנו ועוונותינו ידענום 13 פשעו וכחש
ביהוה ונסוג מאחר אלוהינו ודברו עושק וסרה והגוא מלב דברי שקר 14 ואסיג
אחור משפט וצדקה מרחוק תעמוד כיא כשלה ברחוב אמת ונכוחה לוא תוכל לבוא
15 ותהי האמת נעדרת וסר מרע משתולל
וירא יהוה וירע בעיניו כיא אין משפט 16 וירא כיא אין איש וישתומם כיא אין מפגיע
ותושע לוא זרועו וצדקתיו היא סמכתו 17 וילבש צדקה כשרין וכובע ישועה ברואשיו

וילבש בגדי נקם תלבושת ויעט כמעיל קנאא 18 כעל גמולות כעל ישלם חמה לצריו ג..ל לאויביו
לאיים גמול ישלם 19 וייראו ממערב את שם יהוה וממזרח שמש את כבודיו כיא יבוא כנהר צור
רוח יהוה נ[ו]ססה בוה 20 ובא אל ציון גואל ולשבי פשע ביעקוב נואם יהוה 21 ואני זואת בריתי
אתם אמר יהוה ורוחי אשר עליכה ודברי אשר שמתי בפיכה לוא ימושו מפיכה ומפי זרעכה
ומפי זרע זרעכה מעתה ועד עולם
lx 1 קומי אורי כיא בא אורך כבוד יהוה עליך זרח 2 כיא הנה החושך יכסה ארץ וערפל לאומים ועליך
יזרח יהוה וכבודו עליך יראה 3 והלכו גואים לאורך ומלכים לנגד זרחך 4 שאי סביב עיניך וראי
כולמה נקבצו באו לך בניך מרחוק יבואו ובנותיך על צד תאמנה 5 אז תראי ונהר ורחב לבבך כיא
יהפך אליך המון ים חיל גואים יבואו לך 6 שפעת גמלים תכסך בכרי מדים ועיפו כולם משבאו
יבואו זהב ולבונה ישאו ותהלת יהוה יבשרו 7 כול צואן קדר יקבצו לך אילי נבאות ישרתונך ויעלו
לרצון על מזבחי ובית תפארתי אפאר 8 מיא אלה כעב תעופפנה וכיונים אל ארבותיהמה 9 כיא ליא
איים יקוו ואניות תרשיש ברישונה להביא בני מרחוק כספם וזהבם אתם לשם יהוה אלוהיך
ולקדוש ישראל כיא פארך 10 ובנו בני נכר חומותיך ומלכיהמה ישרתונך כיא בקצפי הכיתיך
וברצוני רחמתיך 11 ופתחו שעריך תמיד יומם ולילה ולוא יסגרו להביא אליך חיל גואים ומלכיהמה
נהוגים 12 כיא הגוי והממלכה אשר לוא יעבודוכי יאבדו [ו]הגואים חרוב יחרבו 13 כבוד הלבנון נתן לך
ואליך יבוא ברוש ותהרהר ותאשור יחדיו לפאר מקום מקדשי ומקום רגלי אכבד 14 ואהלכו
אליך שחוח כול בני מעניך והשתחוו על כפות רגליך כול מנאציך וקראו לך עיר יהוה
ציון קדוש ישראל 15 תחת הייותך עזובה ושנ[ו]אה ואין עובר ושמתיך לגאון עולם משוש דור ודור
16 וינקתי חלב גואים ושד מלכים תינקי וידעתי כיא אני יהוה מושיעך וגואלך אביר יעקוב
17 תחת הנחושת אביא זהב ותחת הברזל אביא כסף ותחת [ה] עצים נחושת ותחת האבנים ברזל
ושמתי פקודתך שלום ונוגשיך צדקה 18 ולוא ישמע עוד חמס בארצך שד ושבר בגבוליך וקראתה
הישועה חומותיך ושעריך תהלה 19 לוא יהיה לך עוד השמש לאור יומם ולנ[ו]גה הירח בלילה
לוא יאיר לך והיה לך יהוה לאור עולם ואלוהיך לתפארתך 20 לוא יבוא שמשך וירחך לוא יאסף
כיא יהוה יהיה לך לאור עולם ושלמו ימי אבלך 21 ועמך כולם צדיקים לעולם ירשו ארץ נצר
מטעו יהוה מעשי ידיו להתפאר 22 הקטן יהיה לאלף והצעיר לגוי עצום אני יהוה בעתה
lxi אחישנה 1 רוח יהוה עלי יען משח יהוה אותי לבשר ענוים [של חני] ולחבוש לנשברי לב לקרוא לשבויים
דרור ולאסורים פקח קוח 2 לקרוא שנת רצון ליהוה יום נקם לאלוהינו לנחם כול אבילים 3 לשים
לאבילי ציון לתת להמה פאר תחת אפר שמן ששון תחת אבל מעטה תהלה תחת רוח כהה וקראו
להמה אילי הצדק מטע יהוה להתפאר 4 ובנו חרבות עולם שוממות ריאשונים יקוממו וחדשו

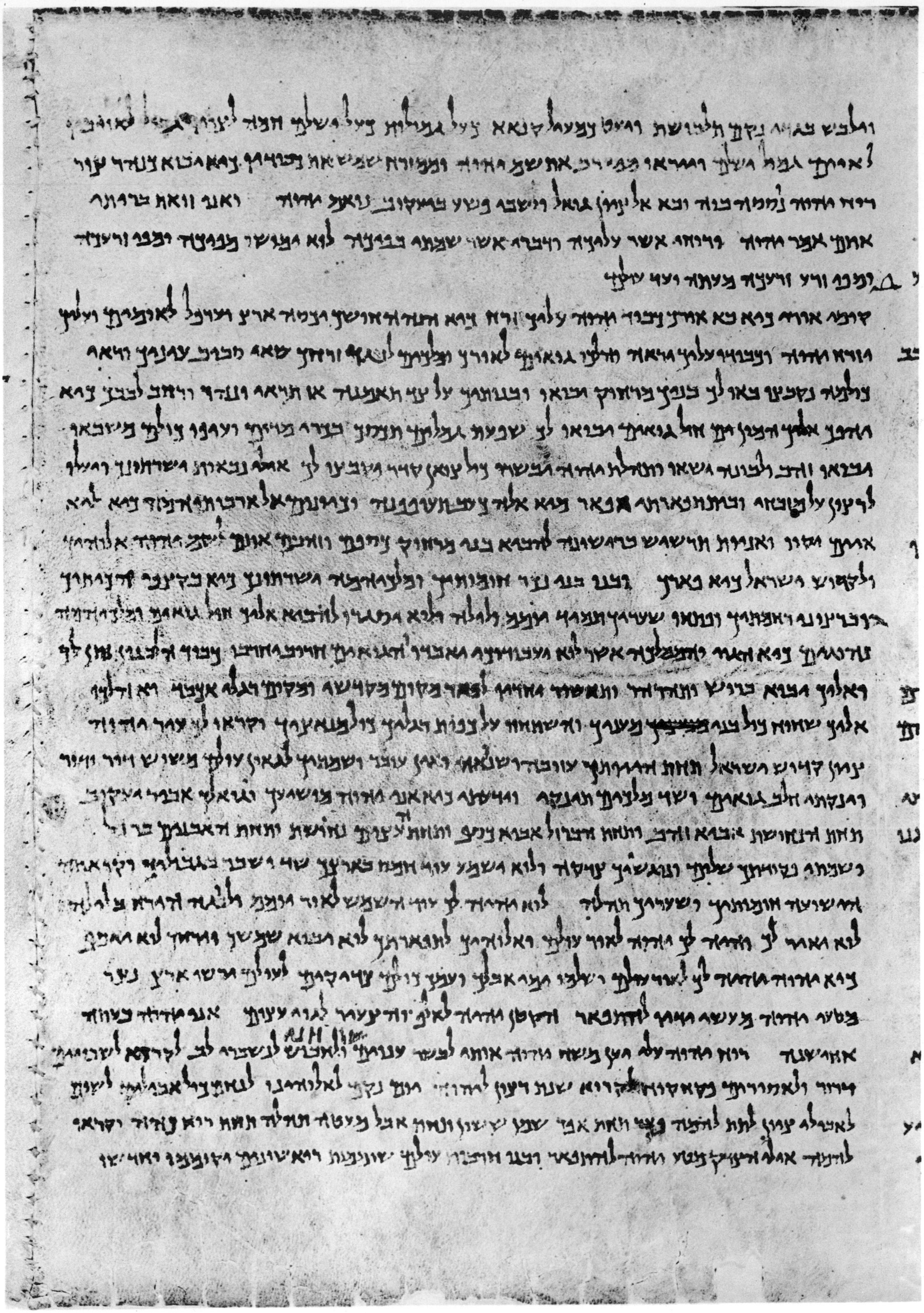

PLATE XLIX

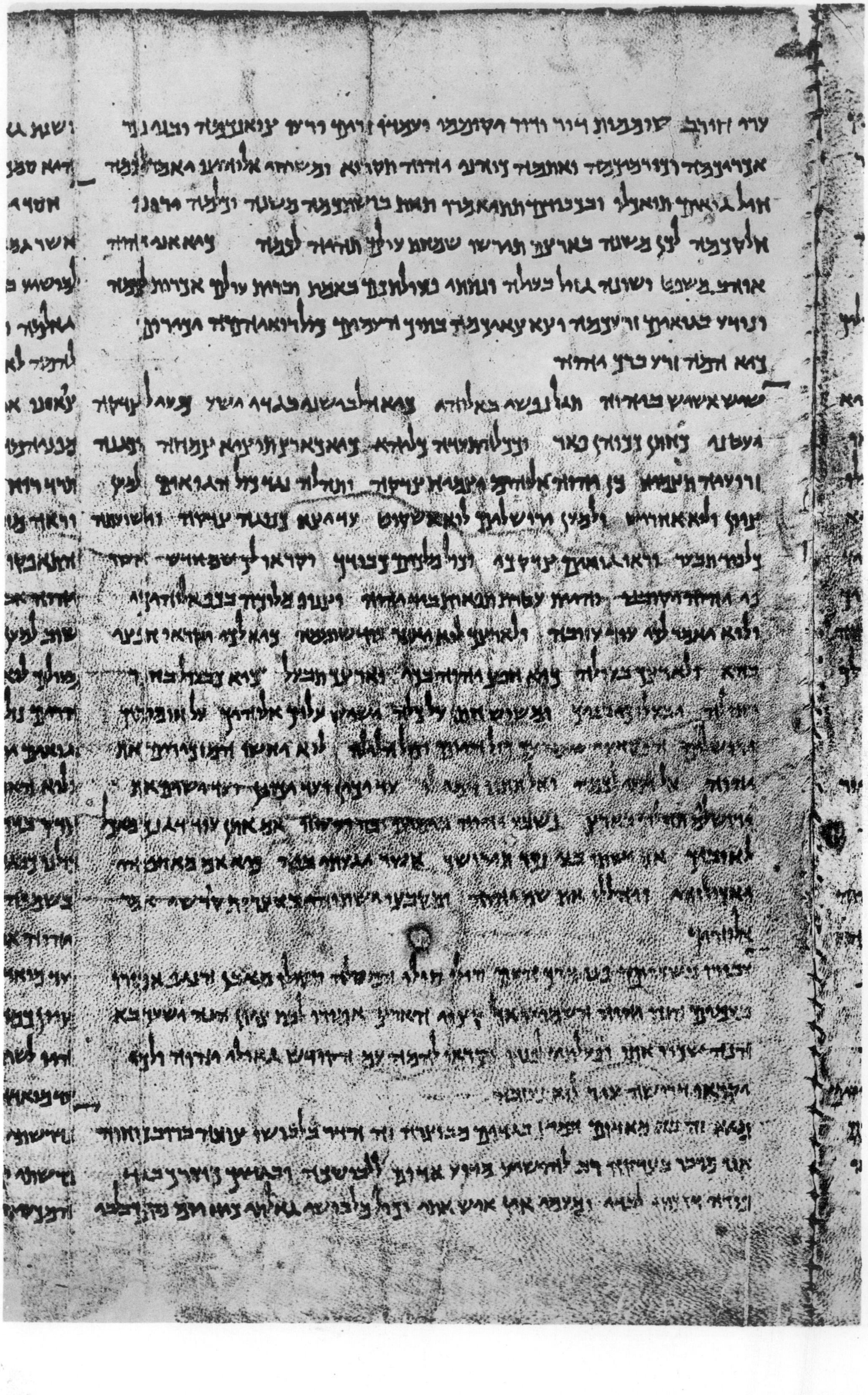

PLATE I.

ערי חורב שוממות דור ודור יקוממו 5 ועמדו זרים ורעו צואנכמה ובני נכר
אכריכמה וכורמיכמה 6 ואתמה כוהני יהוה תקרוא ומשרתי אלוהינו יאמר לכמה
חיל גואים תואכלו ובכבודם תתיאמרו 7 תחת בושתכמה משנה וכלמה ירונו
חלקכמה לכן משנה בארצם תירשו שמחת עולם תהיה לכמה 8 כיא אני יהוה
אוהב משפט ושונה גזיל בעולה ונתתי פעולתכם באמת וברית עולם אכרות לכמה
9 ונודע בגואים זרעכמה וצאצאיכמה בתוך העמים כול רואיהמה יכירום
כיא המה זרע ברך יהוה

10 שוש אשיש ביהוה תגל נפשי באלוהי כיא הלבישני בגדי ישע מעיל צדקה
יעטני כחתן ככוהן פאר וככלה תעדה כליהא 11 כיא כארץ תוציא צמחה וכגנה
lxii זרועיה תצמיח כן יהוה אלוהים יצמיח צדקה ותהלה נגד כול הגואים 1 למען
ציון ולוא אחרוש ולמען ירושלים לוא אשקוט עד יצא כנוגה צדקה וישועתה
כלפיד תבער 2 וראו גואים צדקכי וכול מלכים כבודך וקראו לך שם חדש אשר
פי יהוה יקובנו 3 והיית עטרת תפארת ביד יהוה וצנוף מלוכה בכף אלוהיכי
4 ולוא יאמר לכי עוד עזובה ולארצך לוא יאמר עוד שוממה כיא לכי יקראו חפצי
בהא ולארצך בעולה כי חפץ יהוה בכי וארצך תבעל 5 כיא כבעול בח.ר
בתולה יבעלוכי בניך ומשוש חתן על כלה ישיש עליך אלוהיך 6 על חומותיך
ירושלים ה.קד.י שו. . .ם כול היום וכול הלילה לוא יחשו המזכירים את
יהוה אל דמי לכמה 7 ואל תתנו דמי לו עד יכין ועד יכונן ועד ישים את
ירושלם תהלה .ארץ 8 נשבע יהוה בימינו ובזרוע עוזו אם אתן עוד דגנך מאכל
ל.יביך א. ישתו בני נכר תירושך אשר יגעתי בוה 9 כיא אם מאספיהו
יאכולוהו ויהללו את שם יהוה ומקבצו ישתוהו ב.צרות קדשי אמר
אלוהיך

10 עבורו בש. .ים פנו דרך ה.ם סולו סולו המסלה סקולו מאבן הנגף אמורו
בעמים 11 הנה יהוה השמיעו אל קצה הארץ אמורו לבת ציון הנה ישעך בא
הנה שכרו אתו ופעלתיו לפניו 12 וקראו להמה עם הקודש גאולי יהוה ולכי
יקראו דרושה עיר לוא נעזבה

lxiii 1 מיא זה בא מאדום חמוץ בגדים מבוצרה זה הדר בלבושו צועה ברוב כוחוה
אני מדבר בעדקה רב להושיע 2 מדוע אדום ללבושכה ובגדיך כדורך ב.ד
3 פורה ד.כתי לבדי ומעמי אין איש אתי וכול מלבושי גאלתי 4 כיא יום נקם בלבי

ושנת גאולי באה 5 ואביט ואין עוזר ואשתומם ואין תומך ותושע ליא זרועי וחמתיא
היא סמכתני 6 ואבוסה עמים באפיא ואשכירמה בחמתי ואורידה לארץ נצחם
7 חסדי יהוה אזכיר תהלת יהוה כעל כול אשר גמלנו יהוה ורב טוב לבית ישראל
אשר גמאלם כרחמיו וכרוב חסדיו 8 ויואמר אך עמי המה בנים לוא ישקרו ויהי להמה
למושיע 9 בכול צרתמה לוא צר ומלאך פניו הושיעמה באהבתיו ובחומלתיו הואה
גאלמה וינשאם וינטלם כול ימי עולם 10 והמה מרו ועצבו את רוח קודשיו ויהפך
להמה לאויב והואה נלחם בם 11 ויזכור ימי עולם מושה עמוא איה המעלה מים את רועי
צואונו איה השם בקרבו את רוח קודשו 12 ומוליך לימין מושה זרוע תפארתיו בוקע מים
מפניהמה לעשות שם עולם 13 מוליכם בתומות כסוס במ.דבר לוא יכשלו 14 כבהמה בבקעה
תרד רוח יהוה תניחנו כיא נהגתה עמכה לעשות לכה שם תפארת 15 הבט מן השמים
וראה מזבול קודשכה ותפא.תכה איה קנאתכה וגבורתכה המון מעיך ורחמיך אלי
התאפקו 16 כיא אתה אבינו ואברהם לוא ידענו וישראל לוא הכירנו אתה הואה
יהוה אבינו גואלנו מעולם שמכה 17 למה יהוה תתענו מדרכיכה תקשיח לבנו מיראתך
שוב למען עבדיך שבט נחלתך 18 למצער ירש עם קודשך צרינו בססו מקדשכה 19 היינו
מעולם לוא משלתה בם לוא נ.רא שמכה עליהמה לוא קרעתה שמים וירדתה מפניכה
lxiv הרים נזלו 1 כקדוח אש עמסים מים תבעה אש לצריכה להודיע שמכה לצריכה מ.פניכה
גואים ירגזו 2 בעשותכה נור.ות נקוה ירדתה מפניכה הרים נזלו 3 מעולם לוא שמעו
ולוא האזינו ועין לוא ראתה אלוהים זולתך יעשה למחכה לו 4 פגעתה את שש ועושה
צדק בדרכיכה יזכורוכה הנה אתה קצפתה ונחטא בהמה עולם ונושע 5 ונהיה כטמא
כולנו כבגד עדים כול צדקות.נו ונבולה כעלה כולנו ועוונותינו כרוח ישאונו 6 ואין קורה
בשמכה מתעורר לאחזיק בכה כיא הסתרתה פניכה ממנו ותמגדנו ביד עווננו 7 ואתה
יהוה אבינו אתה ואנחנו חמר ואתה יוצרנו ומעשה ידיכה כולנו 8 אל תקצוף יהוה
עד מואדה ואל לעת תזכור עוון הנה הבטנה עמכה כולנו 9 ערי קודשכה היו מדבר
ציון כמדבר הייתה ירושלים שוממה 10 בית קודשנו ותפארתנו אשר הללוכה אבותינו
היו לשרפת אש וכול מחמודינו היו לחורבה 11 העל אלה תתאפק יהוה תחשה ותעננו
עד מואדה
lxv 1 נדרשתי ללוא שאלוני נמציתי ללוא בקשוני אמרתי הנני הנני אל גוי לוא קרא בשמיא
2 פרשתי ידי כול היום אל עם סורה ההולכים הדרך לוא טוב אחר מחשבותיהמה 3 העם
המכעיסים אותי על פני תמיד המה זובחים בגנות וינקו ידים על האבנים 4 היושבים

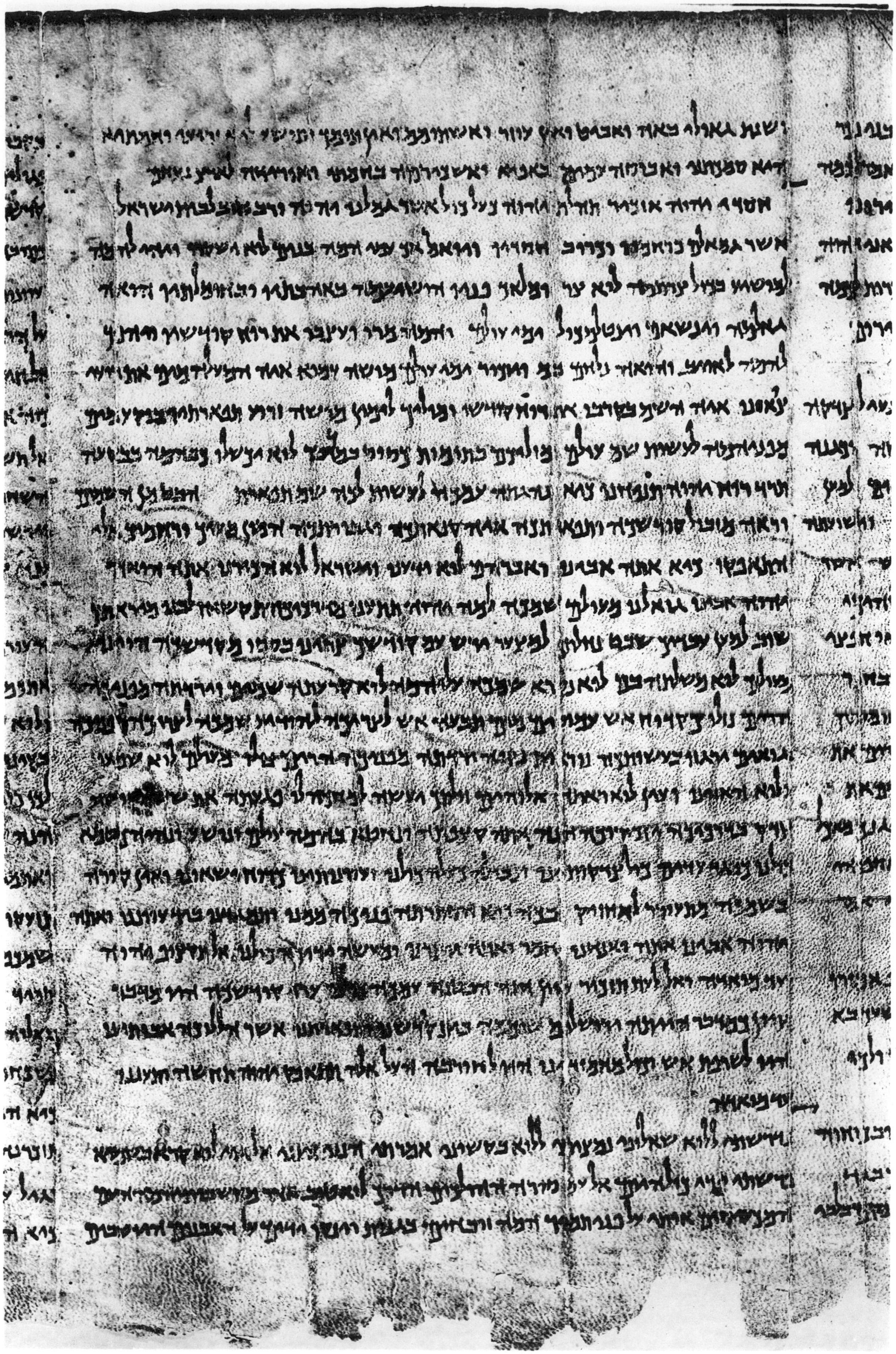

PLATE LI

PLATE LII

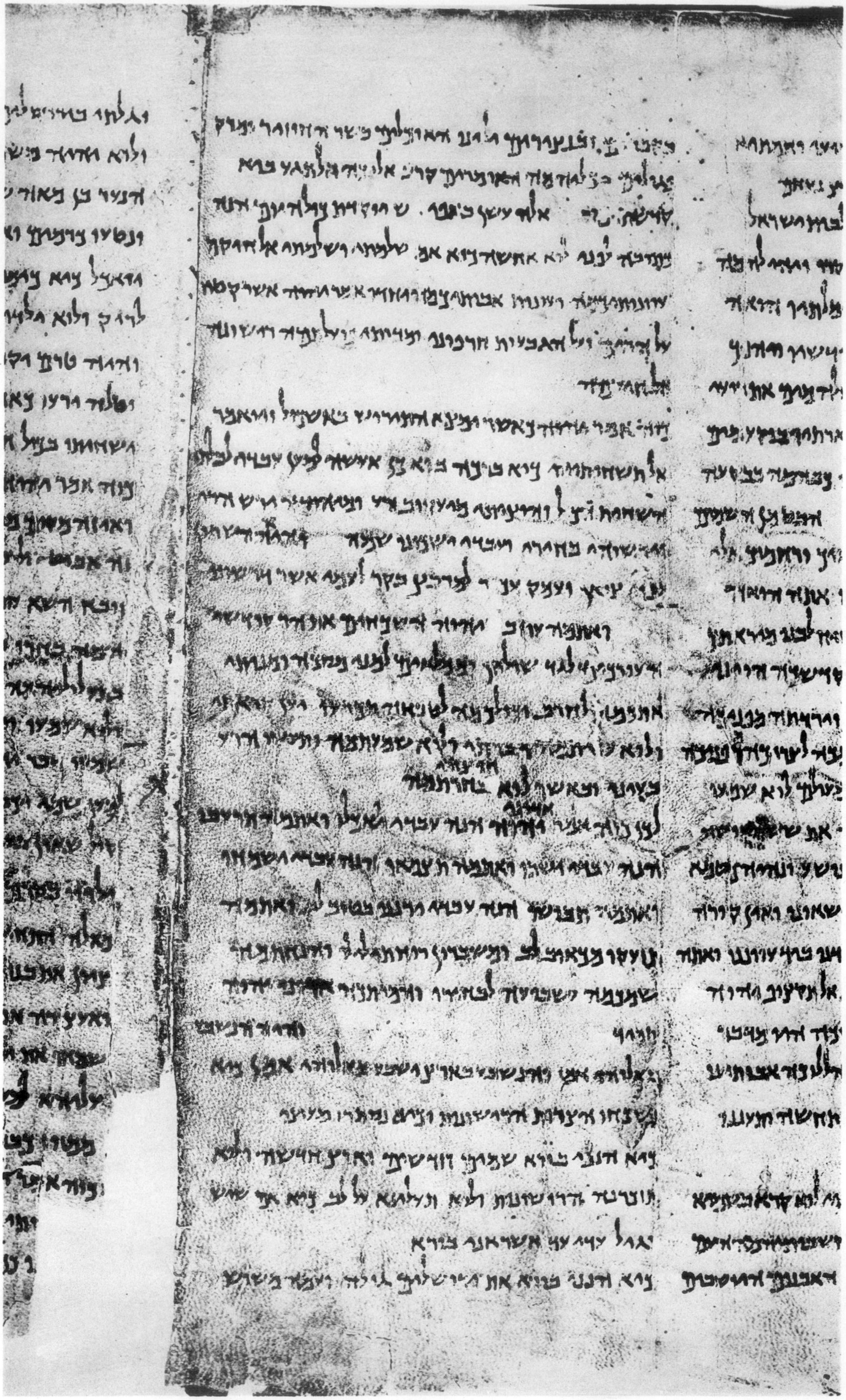

בקברים ובנצורים ילינו האוכלים בשר החוזיר ומרק
פגולים בכליהמה 5 האומרים קרב אליכה אל תגע בׄיא
קדשת. ה אלה עשן באפי .ש יוקדת כול היום 6 הנה
כתובה לפני לוא אחשה כיא אם שלמתי ושלמתי אל חיקם
7 עוונותיכמה ועונות אבותיכמה יחדו אמר יהוה אשר קטרו
על ההרים ועל הגבעות חרפוני ומדותי פועלתמה רישונה
על חיקמה
8 כוה אמר יהוה כאשר ימצא התירוש באשכול ויואמר
אל תשחיתיהו כיא ברכה בוא כן אעשה למען עבדי לבלתי
השחית הכ.ל 9 והוצית֯י מיעקוב זרע ומיהודה ירש הרי
וירשוהו בחירי ועבדי ישכונו שמה 10 והיה[א] השרון
לנוי צואן ועמק עכ.ר למרבץ בקר לעמי אשר דרשוני
11 ואתמה עוזב[ ] יהוה השכחים את הר קודשי
העורכים לגד שולחן וממלאים למני מסכה 12 ומניתי
אתכמה לחרב וכולכמה לטבחה תכרעו יען קראתי
ולוא ע.יתמה דברתי ולוא שמעתמה ותעשו הרע
בעיני ובאשר לוא בחרתמה[חפצתי]
13 לכן כוה אמר יהוה[אדוני] הנה עבדי יאכלו[ו] ואתמה תרעבו
הנה עבדי ישבו ואתמה תצמאו הנה עבדי ישמחו
ואתמה תבושו 14 הנה עבדי ירננו בטוב לב ואתמה
תזעקו מכאיב לב ומשברון רוח תילילו 15 והנחתמה
שמכמה לשבועה לבחירי והמיתכה אדוני יהוה
תמיד 16 והיה הנשבע
באלוהי אמן והנשבע בארץ ישבע באלוהי אמן כיא
נשכחו הצרות הרישונות וכיא נסתרו מעיני
17 כיא הנני בורא שמים חדשים וארץ חדשה ולוא
תזכרנה הרישונות ולוא תעלינא על לב 18 כיא אם שיש
וגיל עדי עד אשר אני בורא
כיא הנני בורא את ירושלים גילה ועמה משוש

19 וגלתי בירושלים וששתי בעמיא ולוא ישמע בה עוד קול בכי וקול זעקה
20 ולוא יהיה משמה עוד עויל ימים וזקן אשר לוא ימלה את ימיו כיא
הנער בן מאה שנה ימות והחוטא בן מאה שנה יקולל 21 ובנו בתים וישבו
ונטעו כרמים ואכלו את פריאם 22 לוא יבנו ואחר ישב לוא יטעו ואחר
יואכל כיא כימי עץ ימי עמיא ומעשה ידיהמה יבלו בחירי 23 לוא .געו
לריק ולוא ילדו לבהלה כיא זרע ברך יהוה המה וצאצאיהמה אתם
24 והיה טרם יקראו ואני אענה עוד המה מדברים ואני אשמע 25 זב
וטלה ירעו כאחד וארי כבקר יואכל תבן ונחש עפר לחמו לוא ירעו ולוא
ישחיתו בכול הר קדשי אמר יהוה
lxvi 1 כוה אמר יהוה השמים כסאי וארץ הדום רגלי אי זה בית אשר תבנו ליא
ואי זה מקום מנוחתי 2 ואת כול אלה ידי עשתה והיו כול אלה נואם יהוה ואל
זה אביט אל עניא ונכאי רוח והחורד לדברי 3 שוחט שור כמכה איש
זובח השא עורף כלב מעלה מנחה דם חוזיר מזכיר לבונה מברך און גם
המה בחרו בדרכיהמה ובשקוציהמה נפשמה חפצה 4 גם אני אבחר
בתעלוליהמה ובמגורותיהמה אביא להמה יען קראתי אין עונה דברתי
ולוא שמעו ויעשו את הרע בעיני ובאש. לוא חפצתי בחרו
5 שמעו דבר יהוה החרדים אל דבריו אמרו אחיכמה שונאיכמה מנדיכם
למען שמי יכבד יהוה יראה בשמחתכמה והמה יבושו
6 קול שאון בעיר קול מהיכל קול יהוה משלם גמול לאויביו 7 בטרם תחיל
ילדה בטרם יבוא חב. לה המליטה זכר 8 מיא שמע כזואת ומיא יראה
כאלה התחיל ארץ ביום אחד אם יולד גוי פעם אחת כיא חלה גם ילדה
ציון את בניהא 9 אני אשביר ולוא אוליד יואמר יהוה אם אניא המוליד
ואעצרה אמר אלוהיך
10 שמחו את ירושלים וגילו בהא כול אוהביהא שישו אתה משוש כול המתאבלים
עליהא 11 למען תינקו ושבעתמה משד תנחומיהא למען תמוצו והתענגתמה
ממזיז כבודה
12 כוה אמר יהוה הנני נוטה אליהא כנהר שלום וכנחל שוטף כבוד גואים
]תיהמה על צד תנשינה ועל בירכים תשתעשעו 13 כאיש אשר אמו
]ו כן אנוכי אנחמכמה ובי. .שלים תתנחמו 14 וראיתמה ושש לבכמה

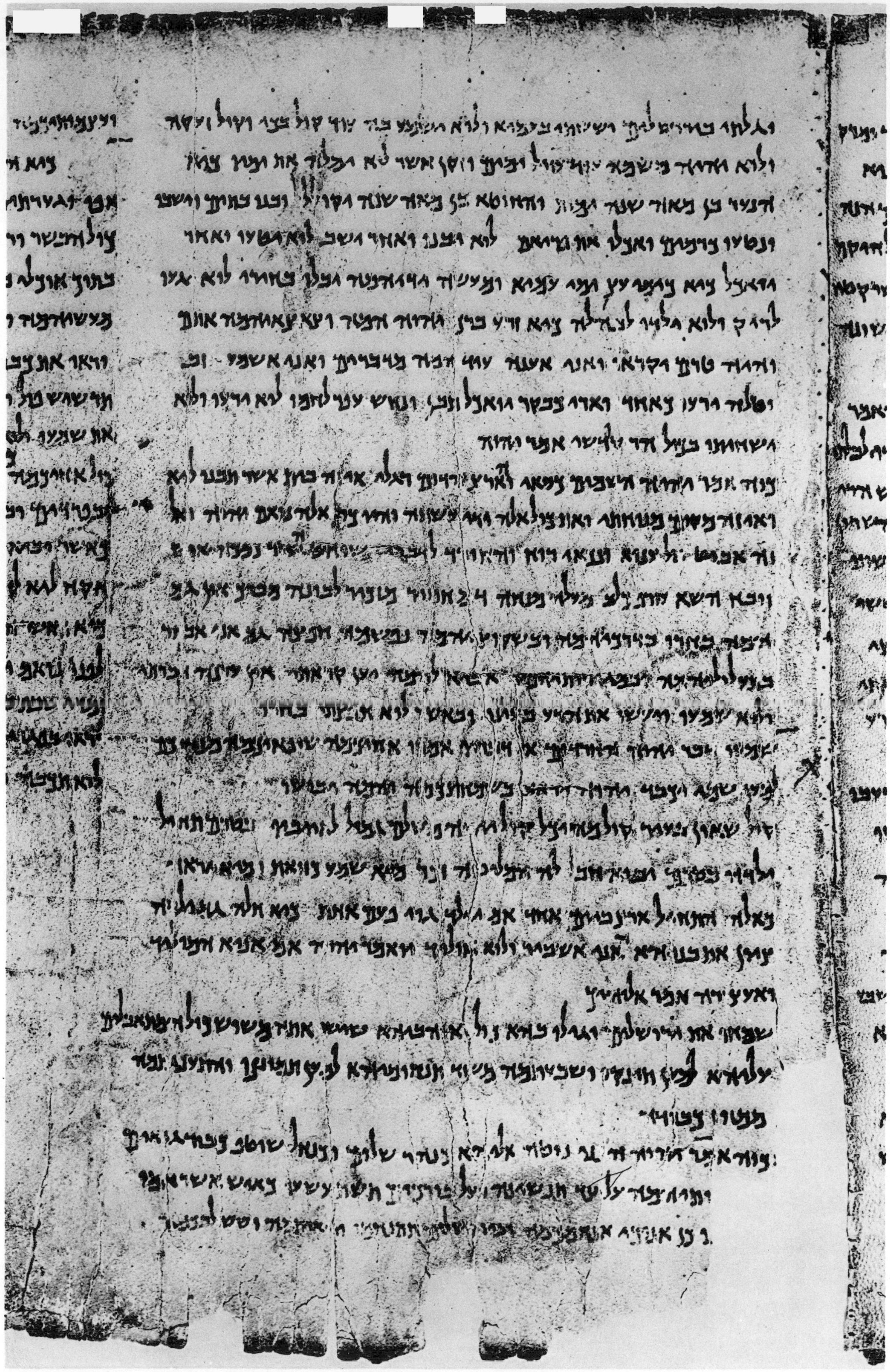

PLATE LIII

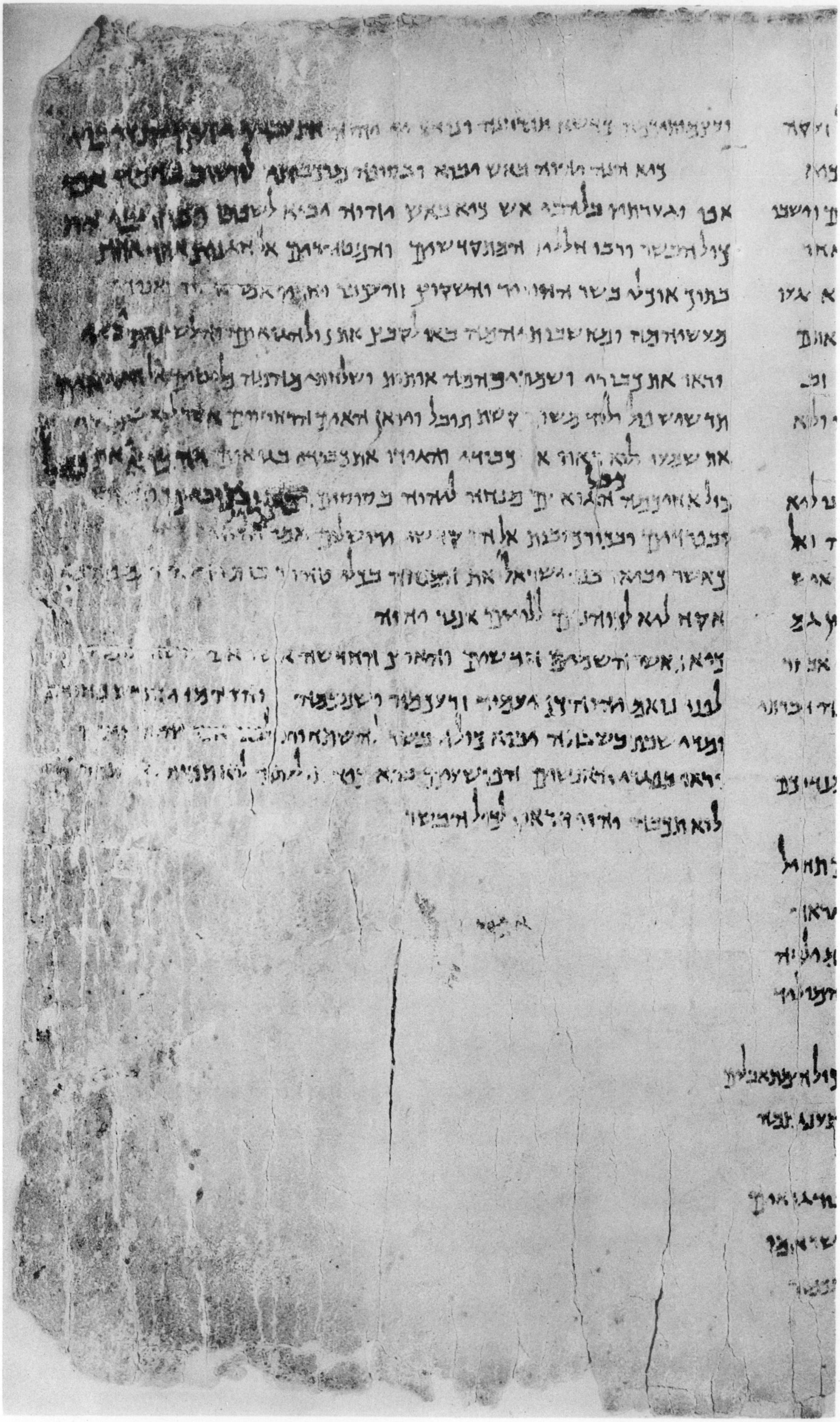

Plate LIV

ועצמותיכמה כדשא תפרחנה ונודע י. יהוה את עבד.ו וזעם .ת .יביו
15 כיא הנה יהוה באש יבוא ובסופה מרכבותי. להשיב בחמה אפו
אפו וגערתיו בלהבי אש 16 כיא באש יהוה יבוא לשפוט ובחרבו את
כול הבשר ורבו חללי. 17 המתקדשים והמטהרים אל הגנות אחר אחת
בתוך אוכלי בשר החו.יר והשקוץ והעכבר יחדיו אמר י. . ה 18 ואנוכי
ו
מעשיהמה ומחשבותיהמה באו לקבץ את כול הגואים והלשונות באו
וראו את כבודי 19 ושמתי בהמה אותות ושלחתי מהמה פליטים אל הגואים
תרשיש פול ולוד מש. . קשת תובל ויואן האים הרחוקים אשר לוא . . . .
ו
את שמעי ולוא ראוו א[ ] כבודי והגידו את כבודי בגואים 20 והביא את כ.ל
מכל
כול אחיכמה הגואים מנחה ליהוה בסוסים .בר. . . ובצוב. .ם
ובפרדים ובכורכובות אל ה. קדשי ירושלים אמר . . . .
כאשר יביאו בני ישראל את המנחה בכלי טהור בית .ה.ה 21 ו.ם .ה.
אקח ליא לכוהנים ללויים אמר יהוה
22 כיא כאשר השמים חדשים והארץ החדשה אש. א.י . .ש.[ ] . . .
לפני נואם יהוה כן יעמוד זרעכמה ושמכמה 23 והיה מ.י ח.ד. .ח. . .
ומדי שבת בשבתה יבוא כול הבשר להשתחות ל. . . א. . יה. . 24 . . . .ו
וראו בפגרי האנשים הפושעים ביא כיא . .ל.ת. לוא תמות
לוא תכבה והיו דראו. לכול הבשר

THE HABAKKUK COMMENTARY

Col. i

[ועתי ולוא (1:2)
[לת דור
[ות עליהם
[קו על
[מ] [יט (1:3)
[אל בעשק ומעל

[וג] [לי ח] [ו רוב
[ובה יה] [ה הואה
[על כן תפוג תורה (1:4)
[אשר מאשו בתורת אל
[את הצדיק
[הוא מורה הצדק
[ל כן יצא המשפט
[לוא [ ]

Col. iia

יסופר [
הכזב כי לו]
אל ועל הבוג]
האמינו בברית אל]
וכן פשר הדבר]
הימים המה ערי]
בשומעם את כול הב]
הכוהן אשר נתן אל ב]
דברי עבדיו ה.ביאי]
כול הבאות על עמו ו]
הכשדאים הגוי המ]
פשרו על הכתיאים א]
במלחמה לאבד ר. . .[
הכתיאים ור.[
בחוקי]

Col. iib

[ובוגדים עם איש
[מורה ה צ.ק. .פיא
[החדשה . . א לוא
[את ש] [.דשו
[גדים לאחרית א
[ת אשר לוא יאמינוא (1:5)
[הדור האחרון מפי
[ה לפשור [ ] כול
[ידם ספר אל את
[יא הנני מקים את (1:6)
[ה
[קלים וגבורים
[בממשלת
[ולוא יאמינו
]

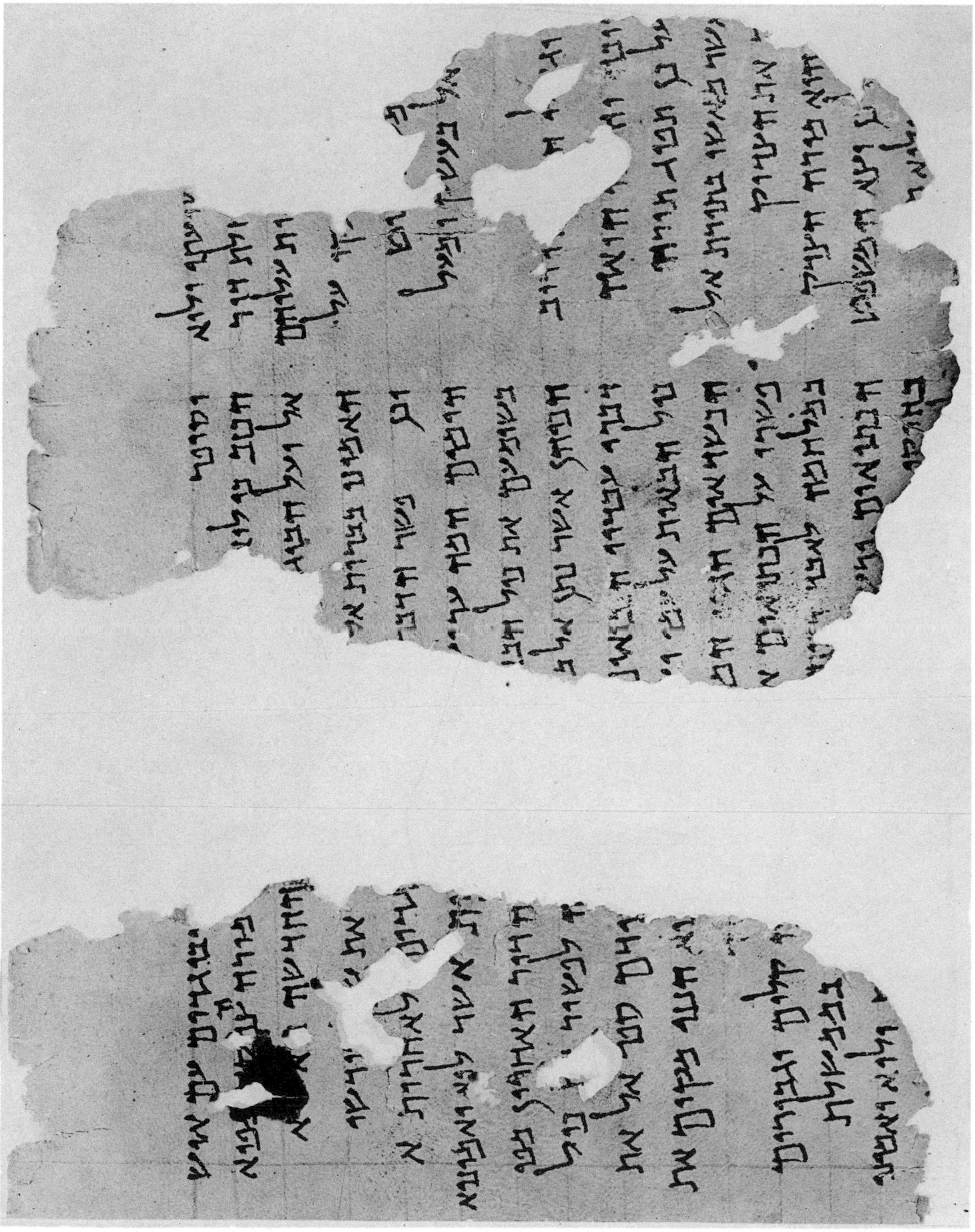

PLATE LV

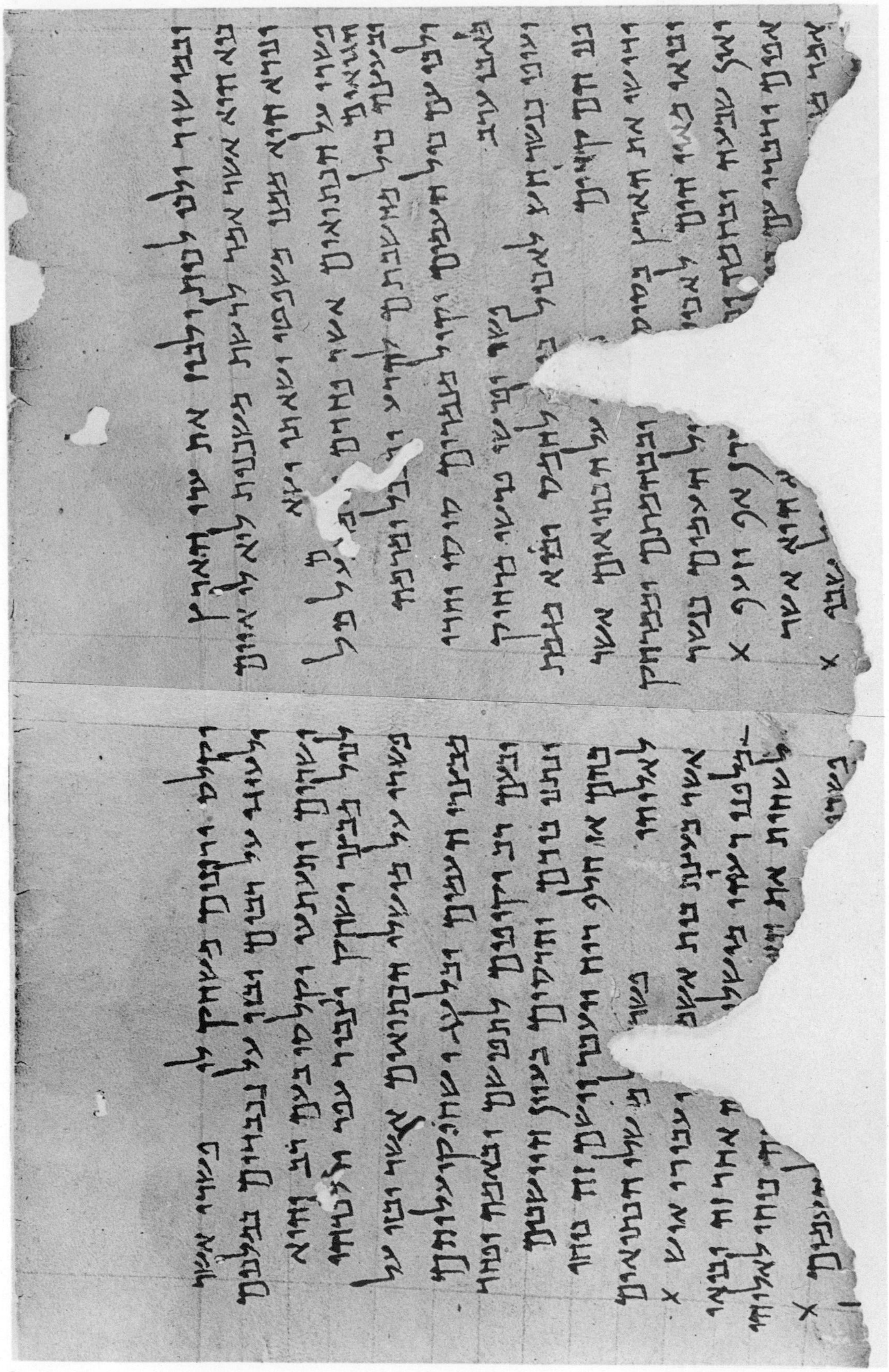

PLATE LVI

Plate LVI

Col. iii

אמר כ[

אמרם]וֹרדינו אם[

]ואל אמרכם]ור בנו]ני](

]וירא את אמרך המה[

ערום כלום

(1:9)   [   ]אל התירמכם אמר

[   ]אל התירמכם אמר עברו

עמי וכרמי מכרו ברדיכ

(1:8)

]נוים ומשי]] אל אל רמים[

10]ורשו את אמרך המה]

]ובוחמתם]וחרמיה

בכרי]ור

עמי מם אל נמכרם אמר התירכם

(1:6—7)   אירם לו אם את מלמנם אמר

]גכרר בלר את הממתמה אתיר](ל ולמרו

אתאם

]וכרברי בלר את המתמה אתיר את אל

]ורלא אתא אמכרו במכברו למאבר מואר

עלר אתא אמכר אמר ברממר וכרממ מכר]

]ובמלתו]וכרו לאמרו לאמרו מתרתמכם]

<hr />

Col. iv

עמרו[

]ל המממס

(1:11)   ]ל אמרם ברמאלרם

]ל וחרר את ערמכ

]וחרר את]ורמאלרם

עמרם]ל וממלר ברממרא

]ל ורמללו]ורמ ברממרא מברמר

עמר]ל וממלר המרמלרם

(1:10)

10 למאלרמ

עמר אם]ל הרמל וממר רא ברמל

ורמ את]ל למאלר הרמ מ ברמל

ברמרל]ולמרם]ומרמלמ ברממרם]ומללרם

עמרם אם ברמאל]ורמרממ אמר מר]ל מ

(1:11)   עמרם את ברמא]ומרר מברל את רמרמ

עמרם את ברמל]ורמאל מר רא]ל

ועמרם]ומ ברמל]ולמרם]ול מם מרם

ורממרם]ורמאל]ולמרם מרם]ל מרם

עמרם]ל ברמם מרמלרמ]ל ברלמ

5]ל במלרם ברממל אמר

(1:10)   ברמל אמר

Col. v

למשפט שמתו וצור למוכיחו יסדתו טהור עינים (1:12–13)
מראות ברע והבט אל עמל לוא תוכל
פשר הדבר אשר לוא יכלה אל את עמו ביד הגוים
וביד בחירו יתן אל את משפט כול הגוים ובתוכחתם
יאשמו כל רשעי עמו אשר שמרו את מצוותו
בצר למו כיא הוא אשר אמר טהור עינים מראות
ברע פשרו אשר לוא זנו אחר עיניהם בקץ
הרשעה למה תביטו בוגדים ותחריש בבלע
רשע צדיק ממנו פשרו על בית אבשלום
ואנשי עצתם אשר נדמו בתוכחת מורה הצדק
ולוא עזרוהו על איש הכזב אשר מאס את
התורה בתוך כול ע[ ]ם ותעש אדם כדגי הים (1:14)
כרמש למשל בו . . [ ]ה יעלה ויגרהו בחרמו (1:15)
ויספהו [ ] לחרמו על כן ישמח
[. .] חלקו

Col. vi

הכתיאים ויוסיפו את הונם עם כול שללם
כדגת הים ואשר אמר על כן יזבח לחרמו (1:16)
ויקטר למכמרתו פשרו אשר המה
זבחים לאותותם וכלי מלחמותם המה
מוראם כיא בהם שמן חלקו ומאכלו ברי
פשרו אשר המה מחלקים את עולם ואת
מסם מאכלם על כול העמים שנה בשנה
לחרוב ארצות רבות על כן יריק חרבו תמיד (1:17)
להרוג גוים ולוא יחמל
פשרו על הכתיאים אשר יאבדו רבים בחרב
נערים אשישים וזקנים נשים וטף ועל פרי
בטן לוא ירחמו על משמרתי אעמודה (2:1)
ואתיצבה על מצורי ואצפה לראות מה ידבר
בי . . [ ] ל ת.בחתי ויענני יהוה (2:2)
[. על הלוחות למען יר . .

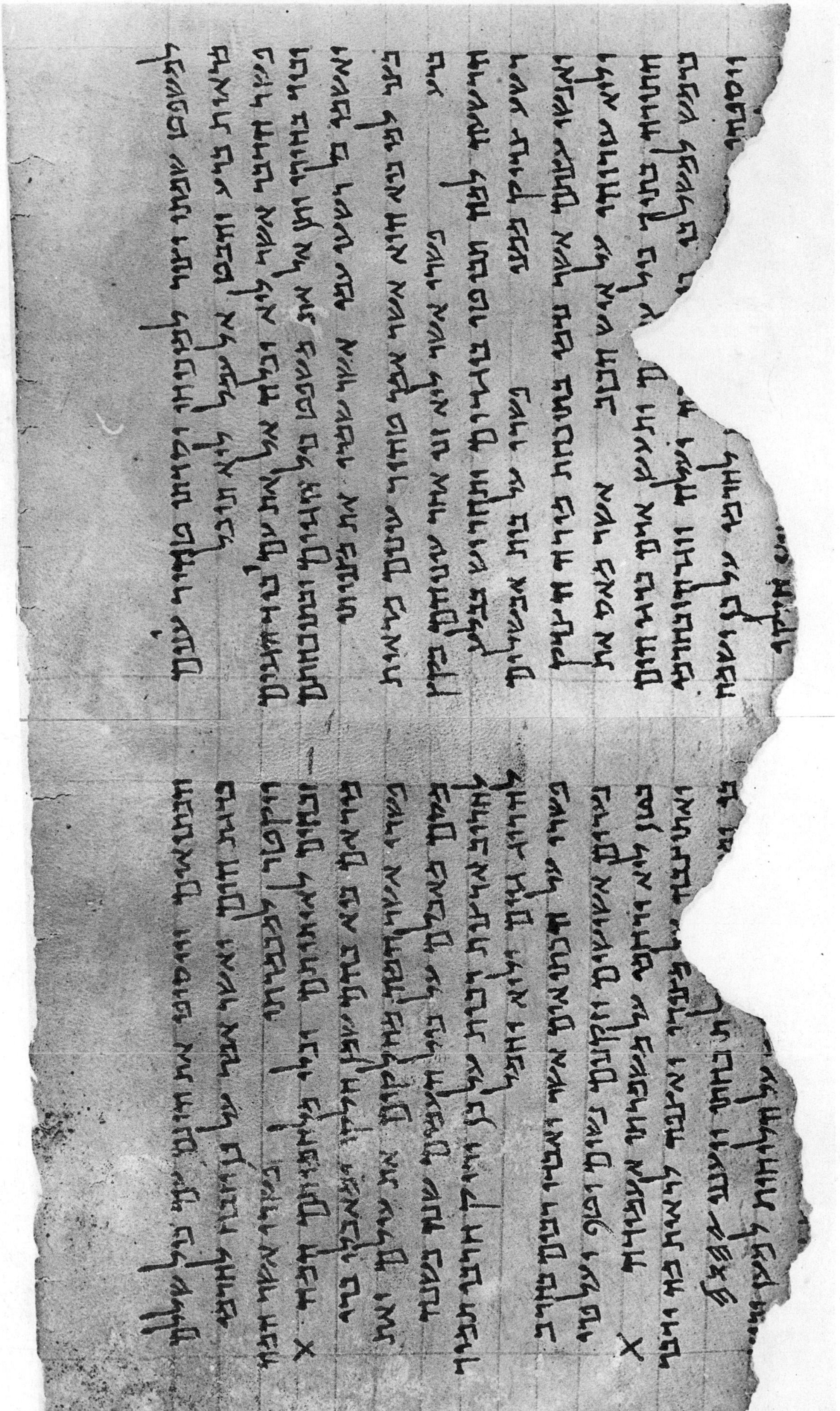

PLATE LVII

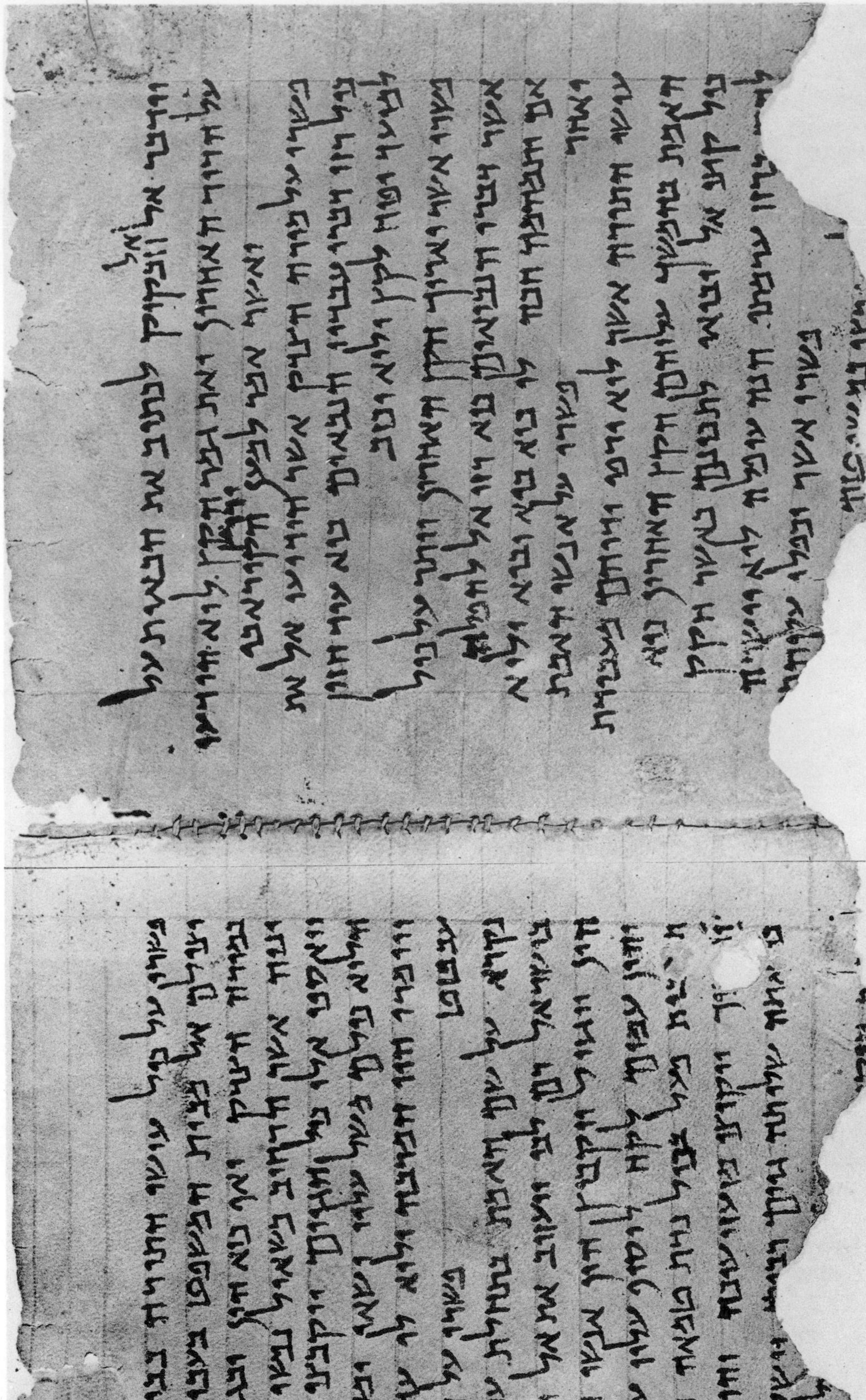

PLATE LVIII

Col. vii

אל
וידבר אל חבקוק לכתוב את הבאות על
על הדור האחרון ואת גמר הקץ לוא הודעו
ירוץ
ואשר אמר למען הקורא בו (2:2)
פשרו על מורה הצדק אשר הודיעו אל את
כול רזי דברי עבדיו הנבאים כיא עוד חזון (2:3)
למועד יפיח לקץ ולוא יכזב
פשרו אשר יארוך הקץ האחרון ויתר על כול
אשר דברו הנביאים כיא רזי אל להפלה
אם יתמהמה חכה לו כיא בוא יבוא ולוא
יאחר פשרו על אנשי האמת
עושי התורה אשר לוא ירפו ידיהם מעבודת
האמת בהמשך עליהם הקץ האחרון כיא
כול קיצי אל יבואו לתכונם כאשר חקק
ל. . ברזי ערמתו הנה עופלה לוא יושרה (2:4)
[פשרו אשר יכפלו עליהם
]רצו במש.טם [

Col. viii

פשרו על כול עושי התורה בבית יהודה אשר
יצילם אל מבית המשפט בעבור עמלם ואמנתם
במורה הצדק ואף כיא הון יבגוד גבר יהיר ולוא (2:5)
ינוה אשר הרחיב כשאול נפשו ו.וא במות לוא ישבע
ויאספו אלו כול הגוים ויקבצו אלו כול העמים
הלוא כולם משל עליו ישאו ומליצי חידות לו (2:6)
ויומרו הוי המרבה ולוא לו עד מתי יכביד עלו
עבטט פשרו על הכוהן הרשע אשר
נקרא על שם האמת בתחלת עומדו וכאשר משל
בישראל רם לבו ויעזוב את אל ו.בגוד בחוקים בעבור
הון ויגזול ויקבוץ הון אנשי .מס אשר מרדו באל
והון עמים לקח לוסיף עליו עון אשמה ודרכי
ת. .בות פעל בכול נדת טמאה הלוא פת[ ]אום ויקומו (2:7)
ו[ ]יך ויקיצו מזעזעיכה והיתה למש[ ]סות למו
כי אתה שלותה גוים רבי. וישלוכה כול יתר עמים (2:8)
].]ל הכוהן אשר מרד
]. . [ ]. . . ר[

Col. ix

נגועו במשפטי רשעה ושערוריות מחלים
רעים עשו בו ונקמות בגוית בשרו ואשר
אמר כי אתה שלותה גוים רבים וישלוכה כול (2:8)
יתר עמים פשרו על כוהני ירושלם
האחרונים אשר יקבוצו הון ובצע משלל העמים
ולאחרית הימים ינתן הונם עם שללם ביד
חיל הכתיאים כיא המה יתר העמים
מדמי אדם וחמס א.ץ קריה וכ[יושבי]בה
פשרו על הכוהן ה.שע אשר ב.ו. . מורה
הצדק ואנשי עצתו נתנו אל בי[ ].ויביו לענותו
בנגע לכלה במרורי נפש בעבור .שר הרשיע
על בחירו הוי השצע בצע רע [ ]יתו לשום (2:9)
. .רום קנו לנצל . .ף רע יעצתה בשת (2:10)
לביתכה קצות עמי. רבים וחוט[ ]שכה כיא (2:11)
א[ ]קיר תזע.[ ]פיס מעץ יע[ ]
[ ] . [על ה[ ] אשר [ ]

Col. x

להיות אבניה בעשק וכפיס עצה בגזל ואשר
אמר קצות עמים רבים וחוטי נפשכה (2:10)
פשרו הוא בית המשפט אשר יתן אל את
משפטו בתוך עמים רבים ומשם יעלנו למשפט
ובתוכם ירשיענו ובאש גופרית ישפטנו הוי (2:12)
בונה עיר בדמים ויכונן קריה בעולה הלוא (2:13)
הנה מעם יהוה צבאות יגעו עמים בדי אש
ולאומים בדי ריק ייעפו
פשר הדבר על מטיף הכזב אשר התעה רבים
לבנות עיר שוו בדמים ולקום עדה בשקר
בעבוד כבודה לוגיע רבים בעבודת שוו ולהרותם
ב[ ]שי שקר להיות עמלם לריק בעבור יבואו
למשפטי אש אשר גדפו ויחרפו את בחירי אל
כיא תמלא הא.. ל.עת את כבוד יהוה כמים (2:14)
יכסו על הי[ ] פשר הדבר
.ש.בם [

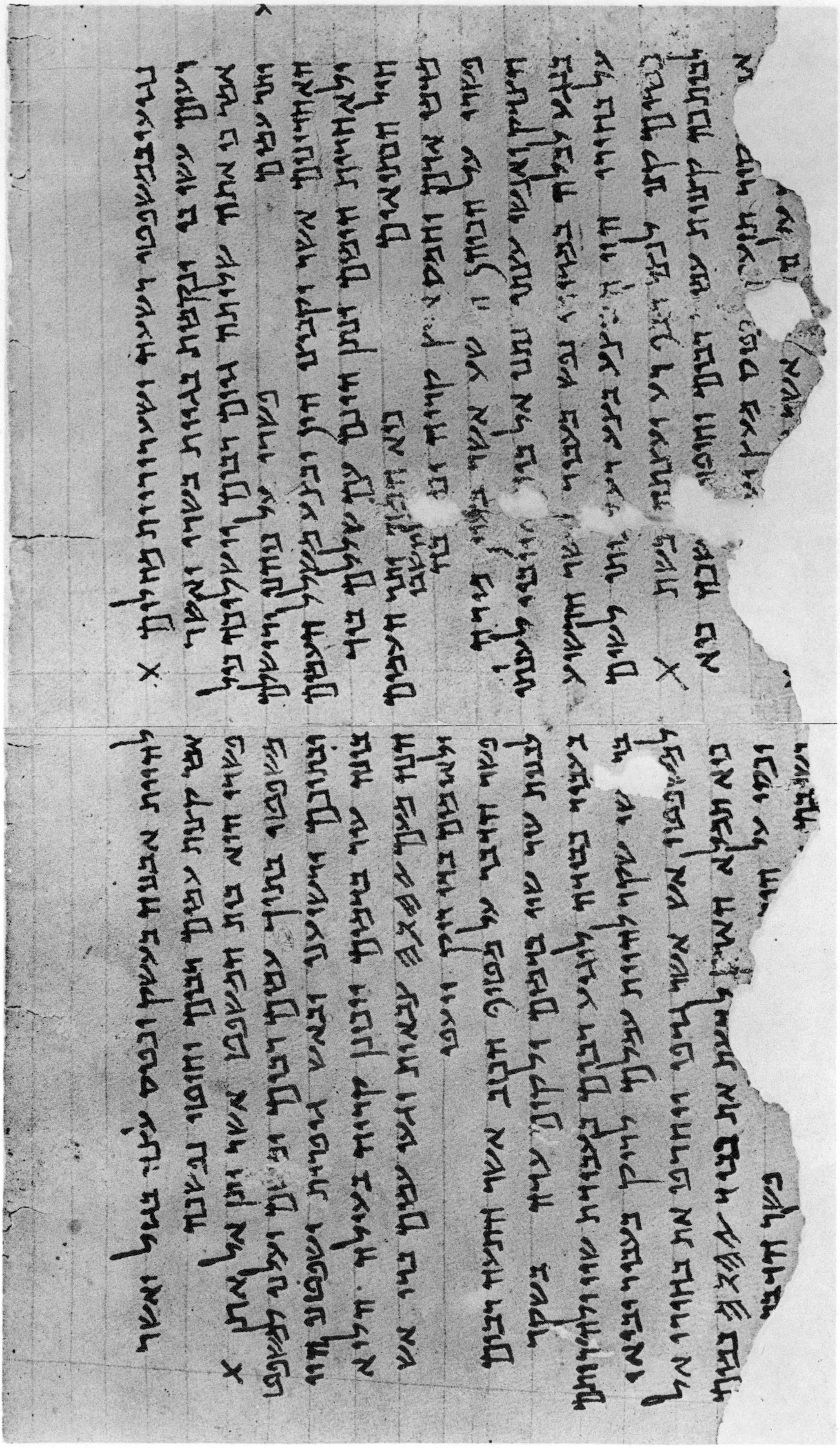

PLATE LIX

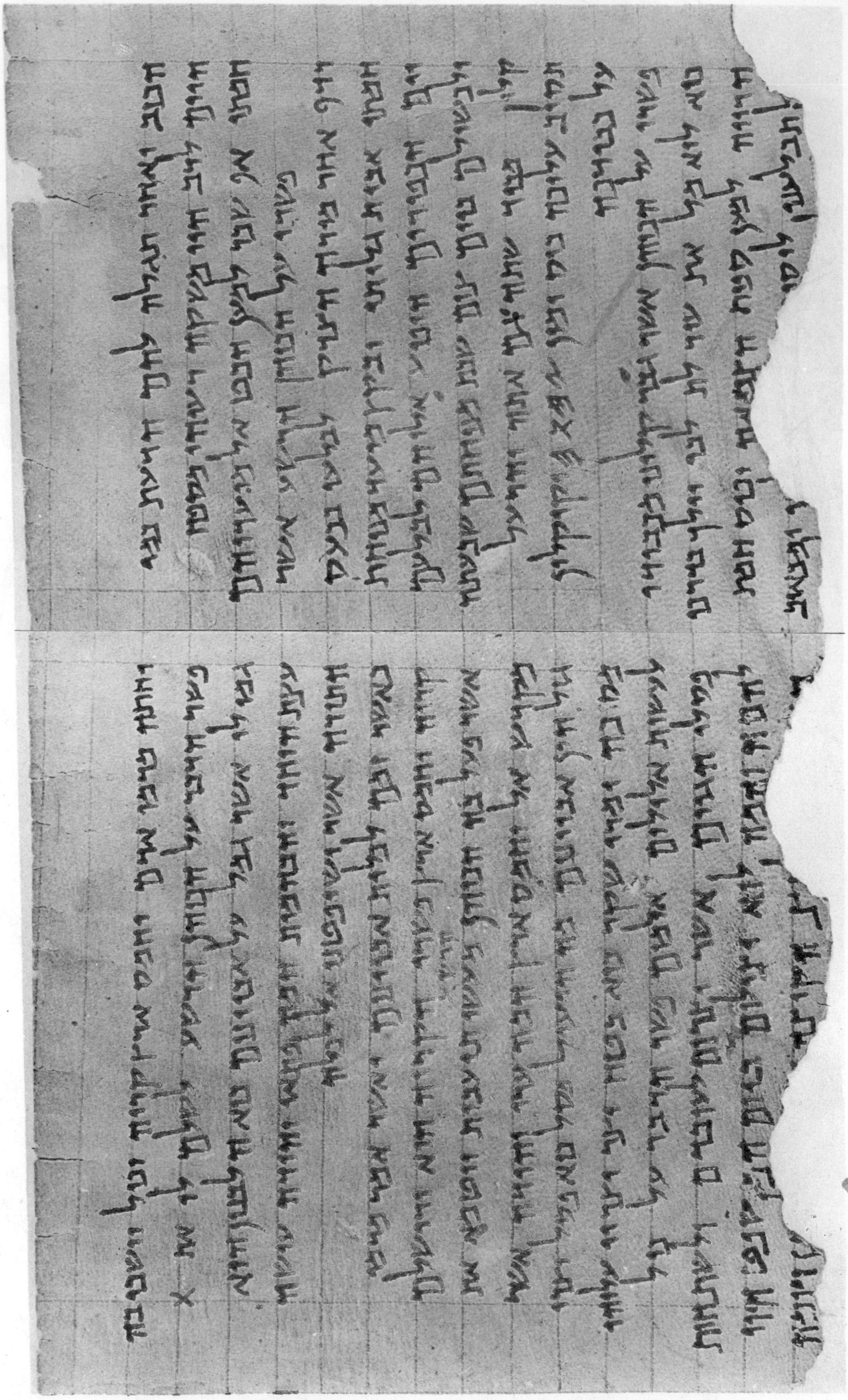

PLATE LX

Col. xi

הכזב ואחר תגלה להם הדעת כמי
(2:15) היים לרב הוי משקה רעיהו מספח
חמתו אף שכר למען הבט אל מועדיהם
פשרו על הכוהן הרשע אשר
רדף אחר מורה הצדק לבלעו בכעס
חמתו אבות גלותו ובקץ מועד מנוחת
יום הכפורים הופיע אליהם לבלעם
(2:16) ולכשולם ביום צום שבת מנוחתם שבעתה
קלון מכבוד שתה גם אתה והרעל
תסוב עליכה כוס ימין יהוה וקיקלון
על כבודכה
פשרו על הכוהן אשר גבר קלונו מכבודו
כיא לוא מל את עורלת לבו וילך בדרכי
הרויה למען ספות הצמאה וכוס חמת
]ל תבלענו לוס[ ]ו ומכאוב

Col. xii

(2:17) יחתה מדמי אדם וחמס ארץ קריה וכול יושבי בה
פשר הדבר על הכוהן הרשע לשלם לו את
גמולו אשר גמל על אביונים כיא הלבנון הוא
עצת היחד והבהמות המה פתאי יהודה עושה
התורה אשר ישופטנו אל לכלה
כאשר זמם לכלות אביונים ואשר אמר מדמי
קריה וחמס ארץ פשרו הקריה היא ירושלם
הרשע
אשר פעל בה הכוהן מעשי תועבות ויטמא את
מקדש אל וחמס ארץ המה ערי יהודה אשר
(2:18) גזל הון אביונים מה הועיל פסל כיא פסל יצרו
מס.כה ומרי שקר כיא בטח יצר יצריו עליהו
לעשות אלילים אלמים פשר הדבר על כול
פסלי הגוים אשר יצרום לעובדם ולשתחוות
(2:19) להמה והמה לוא יצילום ביום המשפט הוי
ה[ ]. ץ הקיצה [ ]ן רומה

Col. xiii

הס מלפניו כול הרץ פשרו על כול הגוים (2:20)

אשר עבדו את האבן ואת העץ וביום

המשפט יכלה אל את כול עובדי העצבים

ואת הרשעים מן הארץ

PLATE LXI

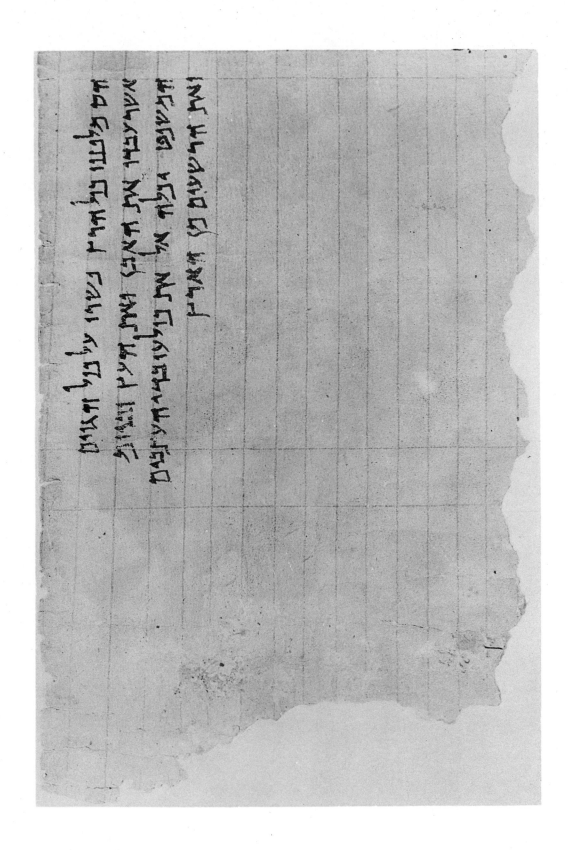